Das „Dream-Team“ der Straße

Bernd Harder

DAS DREAM TEAM DER STRASSE

KERLE

München
Wien

im Herder Verlag & Co., Wien 1996

Umschlagfoto: Andrew D. Bernstein/NBA Photos
Satz: Vogel Medien GmbH, Korneuburg
Printed in Hungary
ISBN 3-85303-106-4

1

Lässig ließ Daniel den rostroten Basketball zwischen seinen Beinen hin und her tanzen. Er checkte das Spielfeld. Das monotone Plopp-Plopp der aufprallenden Gummikugel hallte dumpf von der Vorderfront der Schule wider, die nur einen Ballwurf vom Platz entfernt lag.

NOT IN MY HOUSE! prangte weithin lesbar in roter Sprühfarbe an dem grauen Mauerwerk. Eine Parole, über deren Sinn Schüler und Lehrer immer noch allmorgendlich schulterzuckend nachsannen.

Daniel hätte sie ihnen erklären können. Oder besser: Er war gerade dabei. Ohne Worte. Nur mit seinen Armen und Beinen.

NOT IN MY HOUSE – für den Gegner nichts zu holen!

Auch an diesem Nachmittag schien das Motto der Streetball-Champs wieder einmal seine Gültigkeit zu behalten.

Kurz vor der Freiwurf-Linie verharrte Daniel für Sekunden. Seine Augen hakten sich an dem Korb fest, dessen Schatten aus exakt drei Metern und fünf Zentimetern Höhe auf den asphaltierten Sportplatz fiel.

Daniels Blick warf, noch bevor seine Arme es taten. Geschmeidig hob er den Ball über den Kopf, seine rechte Schulter zuckte nach vorne wie ein Raubtier, das seine Beute anfällt. Die Kugel verließ seine Hand, beschrieb in der Luft einen Bogen und landete einen Augenblick später in dem metallenen Ring.

Unter der Wucht der Pille[1] bauschte sich das Netz zusammen. Nur kurz hielt es den Ball fest, dann gab es ihn frei, und er fiel nach unten. Prallte ins Aus.

„16 Punkte!" rief Daniel seinen Mitspielern zu. „Gewonnen."
Marco und Cem, die wie er ein ärmelloses rotes T-Shirt mit dem von Hand aufgemalten Schriftzug *Baskethunters* trugen, liefen auf Daniel zu und klatschten die Hände gegeneinander. Noch immer kein Grund für den Point Gard[2] der *Baskethunters*, die Miene zu verziehen.
Wie es sich für gute Verlierer gehört, hatten ihre drei Gegner den Ball geholt. Albert, ihr Kapitän, stieß die Pille unbeholfen mit dem Fuß vor sich her und versetzte ihr schließlich einen leichten Tritt.
Schnell ging Daniel in die Knie und nahm in Torwart-Manier den Gummiball auf. „Das ist kein Fußball!" wies er Albert leicht gereizt zurecht. Aber als der korpulente Junge mit dem übergroßen Kopf direkt vor ihm stand, verschluckte Daniel weitere Bemerkungen. Offensichtlich war Albert einfach zu müde, um sich zu bücken. Sein Gesicht glühte wie die Scheibenbremsen eines Cross-Motorrades nach einem schweren Rennen.
Würde sich ausgestopft im Bio-Saal nicht schlecht machen, der Typ, dachte Daniel und streifte mit einem schnellen Seitenblick das Schulgebäude, in dem er sich vormittags langweilte.
„Morgen wieder?" japste Albert.
Daniel zuckte die Achseln: „Wir sind jeden Tag hier."
„Langsam gehen uns die Sparring-Partner[3] aus", bemerkte er, als sich Albert und seine beiden Mitspieler getrollt hatten.

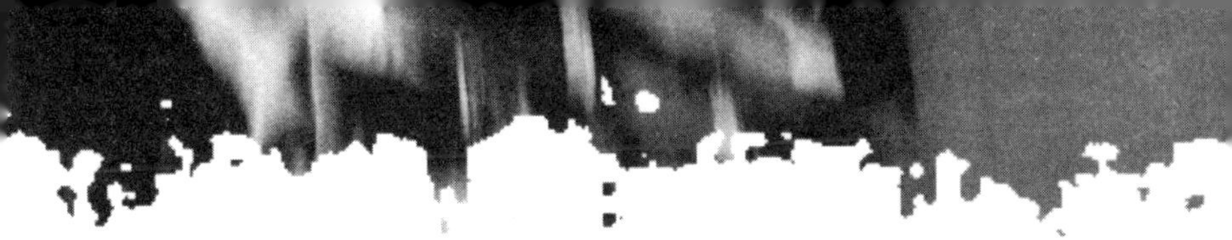

Mit seinen 16 Jahren überragte Daniel die meisten Gegenspieler schon um gut einen Kopf. Dennoch wäre niemand auf die Idee gekommen, ihn als Bohnenstange zu belächeln. Seit Daniel auf den öffentlichen Courts und Hinterhof-Slaps[4] dem Ball nachjagte, hatte er sich vom schlaksigen Kid zum Kraftpaket gehantelt.
„Na ja", meinte Cem, „auf solche Chumps[5] können wir leicht verzichten. Trainieren wir lieber One-on-One[6]."
„Moment", meldete sich Marco, den alle nur Shaq nannten. Der 15jährige schwärmte für den Star des NBA[7]-Spitzenteams *Orlando Magic,* Shaquille o'Neal. „Hab noch was zu erledigen."
Daniel und Cem stöhnten auf, machten aber keine Anstalten, ihren Mannschaftskameraden zurückzuhalten.
Shaq schlenderte auf die Vorderfront des Schulgebäudes zu. Aus einem grellbunten Rucksack, der an seinem linken Arm baumelte, fingerte er eine Spraydose hervor. Die Metallkugel im Inneren der Dose schepperte geräuschvoll gegen das Blech, als Shaq das Handgelenk kreisen ließ, um die Farbe kräftig durchzuschütteln. Ein prüfender Blick über die Schultern. Niemand zu sehen. Mit aggressivem Zischen entwich ein dünner, grüner Strahl. Eine Sekunde später stach ein senkrechter Strich aus dem ersten *O* von NOT IN MY HOUSE! hervor, der sofort zu trocknen begann. Fast vier Dutzend solcher Striche füllten das *O* an der Wand.
Bald ist kein Platz mehr, dachte Shaq. Dann würde das zweite *O* in seinem Graffiti-Schriftzug nötig sein, um die

Siege der *Baskethunters* zu dokumentieren. Jeder Strich bedeutete ein gewonnenes Spiel auf eigenem Platz. Eben: NOT IN MY HOUSE!

Daniel und Cem beobachteten mittlerweile das Treiben um sich herum, als Shaq zu ihnen zurücktrabte. Auf zwei weiteren Basketball-Courts des weitläufigen Schulgeländes ging es um Körbe. Ein All-Girl-Team, das sich *Bronx-Katzen* nannte, konterte gerade drei Jungs aus, die gut und gerne doppelt so alt und fast doppelt so groß wie die Mädchen waren. Einer der Typen schoß und verfehlte. Cirstin von den *Bronx-Katzen* pflückte den Rebound[8] vom Brett, dann raus aus der Zone, ein perfekter No-Look[9] in die Hände einer Mitspielerin – und ihre Gegner sahen nur noch, wie der Ball durchs Netz flutschte.

„Take no prisoners!" rief Daniel den Mädchen zu. Dem Gegner keine Geschenke machen, so lautete die Streetball-Losung.

Cirstin schaute kurz auf und hob die Hand zum Gruß.

Daniel trieb es das Blut bis in die Ohrläppchen. Patentes Girl, dachte er und prellte seinen Basketball ein paarmal vor sich auf dem Boden auf.

Ein rhythmisches Knirschen riß Daniel aus rosaroten Gedanken. Irritiert drehte er sich um.

Cem und Shaq blickten ausdruckslos in Richtung der Korbanlage.

Dort stand ein etwa 15 Jahre alter Junge, der gerade einen gewaltigen Ghetto-Blaster hinter dem Gestänge abstellte, an dem der Korb befestigt war.

Erst jetzt wurde Daniel bewußt, daß das Knirschen aus dem Recorder kam. Offenbar handelte es sich um Musik. *And then you'll get your balls to the wall, man. Balls to the wall!* knurrte der Sänger heiser gegen den schweren Sound an.
Daniel, Cem und Shaq tauschten einen bedeutungsvollen Blick.
„Voll das Klischee", murmelte Cem leise.
Der Junge sah aus, als käme er auf direktem Weg aus einem amerikanischen Großstadt-Ghetto. Um den Oberkörper schlotterte ein viel zu weites T-Shirt mit dem Emblem der US-Spitzenmannschaft *Chicago Bulls*, und in den locker sitzenden Shorts hätten auch vier Beine Platz gefunden. Auf seinem Bürstenhaarschnitt saß eine Baseball-Kappe, den Schirm kühn nach hinten gedreht. Die Schuhe sahen aus, als wären sie unterwassertauglich und mit Airbag und Sekundenzeiger ausgestattet.
Balls to the wall, man! hämmerte es lautstark aus dem Gerät. *You'll get your balls to the wall!*
Shaq fand als erster die Sprache wieder. „Was soll 'n das?" herrschte er sein Gegenüber an. Schließlich war das immer noch „ihr" Platz.
„Hey, du siehst ja richtig elchig aus", stellte der Junge begeistert fest und brach in ein Kichern aus, das sich anhörte, als würde ein rostiger Nagel aus einem alten Brett gezogen.
Als er sah, daß die Gesichter der drei Streetballer zu Eis gefroren, wurde er augenblicklich ernst.

„Hey, Mann, elchig bedeutet nicht blöd, sondern verwirrt", und schnell fügte er hinzu: „Heiße übrigens Thilo."
„Kann jedem passieren", trieb Daniel das gegenseitige Abtasten trocken weiter. „Und warum müssen wir das wissen?"
„Ich hab euch 'ne Weile zugesehen", erklärte Thilo. „Ihr seid gut."
„Na und?" fragte Daniel nur, der auf nichts weniger angewiesen war als auf das dürre Lob eines Robbers[10] mit offenkundigem Softwarefehler.
„Ich bin's auch. Ich würde gern mitmachen."
Shaq und Cem lachten und schlugen sich dabei auf die Schenkel. Keiner von den Dutzenden Streetballern, die hier jeden Tag auf Korbjagd gingen, wollte mit den *Baskethunters* spielen. Die *Baskethunters* waren einfach zu gut.
Nur Daniel verbarg sein Innenleben hinter einem undurchdringlichen Gesichtsausdruck.
Da ihm gerade nichts anderes einfiel, fragte er ausweichend: „Was 'n das für 'ne Musik?"
„Rap find ich blöd", entgegnete Thilo. „Das hier ist Heavy-Metal. Die Gruppe heißt *Accept.* Das Lied höre ich immer, wenn ich an irgendeiner Wand Prellen und Shooting[11] übe. *Balls to the wall*, versteht ihr?"
„Bälle an die Wand", übersetzte Daniel laut. In einer längst vergessenen Englisch-Stunde hatte er allerdings gehört, daß „Balls" zugleich das meinte, was die Jugendlichen hierzulande mit dem Ausdruck „Eier" umschrieben.

Balls to the wall – immer wieder mit den Eiern gegen die Wand! Auch wenn es schmerzte. Gar nicht mal so unpassend, dachte Daniel.
Ohne Vorwarnung warf er Thilo den Ball zu.
Der Junge fing ihn sicher auf und grinste übers ganze Gesicht.
„Okay, Two-on-Two“, bestimmte der Point Guard der *Baskethunters*. „Du spielst bei mir. Alles klar?“
Thilo nickte nur.
Mit mächtigen Schritten strebte Daniel dem Korb zu, hart bedrängt von Cem, der seinen Point Guard gekonnt blockte. Thilo bot sich an, bekam den Ball – und sofort schien sich sein ganzer Körper mit Starkstrom aufzuladen. Blitzschnell wie ein Quirl drehte er sich um die eigene Achse und zog auf direktem Weg zum Korb.
Gleich macht Shaq ihn platt, schoß es Daniel durch den Kopf.
Aber da saß Shaq schon auf dem Hosenboden, und Thilo schraubte sich zu einem perfekten Bogart[12] in die Luft. Die Korbanlage zitterte leicht.
Daniel und Cem standen mit offenem Mund da.
„Ich glaub fast, den sollten wir uns mal näher ansehen“, sagte Daniel leise zu sich selbst.

Es wurde schon dunkel, als Daniel nach einem Bank-Shot[13] den Ball unter dem Netz auffing, ihn hinter seinen Rücken brachte und langsam in die Hocke ging, bis er auf der rostroten Gummikugel zum Sitzen kam.

Cem, Shaq und Thilo verteilten sich im Schneidersitz um ihren Point Guard herum.
Stundenlang hatten sie mit dem Neuen im *Chicago Bulls*-Dress verschiedene Moves[14] geübt, ihn Freiwürfe ausführen lassen, seine Ausdauer und seinen Biß auf die Probe gestellt. Schon nach wenigen Minuten war klar gewesen: Thilo würde für jedes Team eine Verstärkung bedeuten.
„Na, wie war ich?" fragte Thilo überflüssigerweise.
Fast unmerklich verzog Daniel das Gesicht und wechselte erst einmal das Thema. „Eins wollen wir mal klarstellen", begann er und registrierte mit Genugtuung, wie Thilo nach dieser unerwartet ernsten Bemerkung unruhig hin und her zu rutschen begann. „Streetball ist für uns Sport und keine Modenschau . . ."

„Meinst du etwa mein Shirt und meine Schuhe?" unterbrach Thilo ihn ungehalten. „Die sind original. Habe ich in Amerika gekauft." Und etwas leiser fügte er hinzu: „Früher konnte ich von so was nur träumen."
Im Gegensatz zu Daniel verstand Cem sofort: „Kommst du von drüben, oder was?"
„Klar", schnaubte Thilo. „Oder kennst du hier in West-Berlin jemanden, der Thilo heißt?"
„Wir können dich ja *Air* nennen, wenn dir das lieber ist", meinte Shaq versöhnlich. „Nach Michael *Air* Jordan von den *Chicago Bulls*, wenn du schon das passende Trikot trägst."
Sofort strahlte Thilo wieder. „Hyper!" rief er und wollte noch etwas sagen.

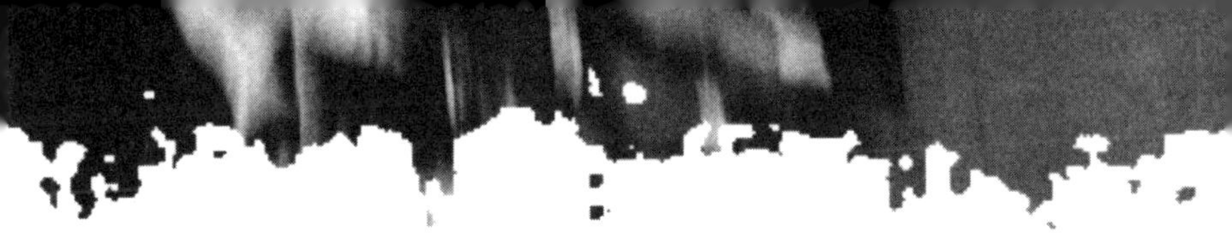

Rasch schnitt Daniel ihm das Wort ab. „Ist ja auch egal“, zog der Kapitän der *Baskethunters* das Gespräch wieder an sich. „Jedenfalls finden wir es ziemlich daneben, auf Ghetto-Romantik zu machen und dann mit Klamotten und Ausrüstung rumzurennen, für die Papi einen Kredit aufnehmen mußte. Für uns ist Streetball Sport“, wiederholte er mit Nachdruck.

„Ist aber doch cool, ey!“ ereiferte sich Thilo. „Man muß doch zeigen, daß man Streetballer ist. American way of feeling, versteht ihr? Ist doch geil! Und die Musik . . .“, er deutete auf seinen Ghetto-Blaster, der mittlerweile verstummt war, „und die Musik beamt dich erst in die richtige Top-Form!“

„Mach, was du willst“, brach Daniel kurzerhand die Diskussion ab, die ihn enorm zu langweilen begann.

„Hey, laß ihn!“ mischte Shaq sich ein. „Von mir aus kann er tibetanische Volksmusik aus dem Ding dröhnen lassen. Hauptsache, er trifft den Korb. Oder?“

Cem nickte.

Daniel gab sich geschlagen. „Hör zu“, schärfte er Thilo ein, „in vier Wochen fahren wir zum Metropolitan-Turnier[15] nach Hamburg. Es geht um die Qualifikation für das Streetball-Challenge-Finale[16] im Sommer hier in Berlin. Wir trainieren jeden Tag. Und nicht nur just for fun. Ich hoffe“, fügte er ironisch hinzu, „dein teures Outfit hält das aus.“

„Heißt das, ich bin dabei?“ stieß Thilo enthusiastisch hervor.

„100 Punkte“, sagte Daniel nur.

2

„ALBA! ALBA!“ hallte es aus 9000 Kehlen durch die Deutschlandhalle. Das Final-Rückspiel zwischen ALBA Berlin und Stefanel Mailand um den Korac-Cup[17] versprach eine rauschende Basketball-Nacht zu werden. Zum ersten Mal hatte ein deutsches Team die Chance, einen europäischen Pokal zu holen. Nach dem 87 zu 87 in Mailand genügte den Berlinern ein knapper Sieg.

Auch Daniel saß zwischen den erwartungsfrohen Fans und beobachtete voller Spannung das Spielgeschehen. Als ALBA-Allrounder Henrik Rödl sich an seinem Gegenspieler vorbei zum Korb mogelte und mit einem einarmigen Dunking[18] abschloß, hielt es auch den Point Guard der *Baskethunters* nicht mehr auf seinem Platz.

Plötzlich tippte ihm jemand recht unsanft auf die Schulter.

„Ist ja schon gut!“ zischte Daniel gereizt. „Ich sitze ja schon wieder!“

Als er sich umdrehte, blickte er in ein grünes Augenpaar, das eher belustigt als zornig funkelte.

Es war Cirstin.

„Hallo!“ grüßte ihn die Spielführerin der *Bronx-Katzen*.

„Hi“, gab Daniel zurück. Eine Sekunde lang starrte er das

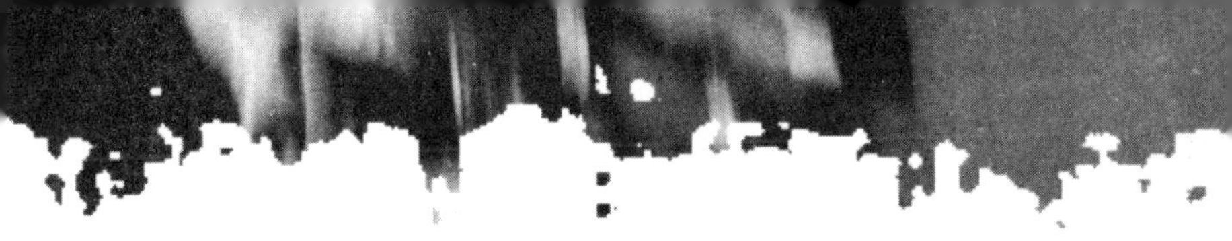

schwarzhaarige Girl unentschlossen an. Der nächste lautstarke Jubel der 9000 ALBA-Anhänger half ihm aus seiner Verlegenheit. Mit dem Zeigefinger tippte Daniel gegen sein Ohr, um Cirstin zu signalisieren, daß es ihm für eine längere Unterhaltung zu laut in der Halle war.
Cirstin nickte und lächelte verständnisvoll.
Nach einigen Minuten stellte Daniel fest, daß er sich nicht mehr voll aufs Spiel konzentrieren konnte. Mehrmals mußte er dem Impuls widerstehen, sich noch einmal zu Cirstin umzudrehen. Die weiteren Körbe von ALBA quittierte er mit zurückhaltendem Applaus. Ständig glaubte er, Cirstins Blicke in seinem Rücken zu spüren. Ihn irritierte, daß es ihm nicht egal war.
Zum ersten Mal war Daniel froh, bei einem Basketball-Spiel die Schlußsirene zu hören.
ALBA hatte gewonnen! *85 : 79* leuchtete es von der elektronischen Anzeigetafel. Siegestrunken reckten Hendrik Rödl, Sascha Obradovic, Gunther Behnke und die anderen Stars des jungen Teams den Korac-Pokal in die Höhe, der einer antiken Trinkschale nachempfunden war. Mit einem Höllenlärm feierten die Fans die Sensation.
Als Daniel sich durch den Pulk der begeisterten Fans zum Ausgang kämpfte, war Cirstin bereits verschwunden. Unwillkürlich begann er zu drücken und zu schieben, um schneller voranzukommen. Vielleicht erwischte er sie noch vor der Halle!
Wie sich wenig später herausstellte, war Daniels Hektik gänzlich unbegründet. Die Spielerin der *Bronx-Katzen*

lehnte lässig an einer Absperrung und hob die Hand, als sie den hochaufgeschossenen Streetballer aus dem Ausgang stürmen sah.
Daniel fand, daß es an der Zeit war, sich wieder einzukriegen. Betont langsam schlenderte er auf das Mädchen zu.
Cirstin machte eine Kopfbewegung in Richtung Halle und sagte aufgeräumt: „Eine Stimmung fast wie in der NBA, was?"
„Hmm", nickte Daniel.
„In Leverkusen beißen jetzt hoffentlich einige vor Wut in die Bälle", fachsimpelte Cirstin weiter.
„Bayer Leverkusen hat dieses Jahr viel Pech gehabt, mit Verletzungen und so", verteidigte Daniel lahm den deutschen Vorzeige-Club, der in der Europaliga nur den vorletzten Gruppenplatz belegt hatte.
„Na so was", entgegnete Cirstin. „Und ich dachte, die seien mit Pflaster und Salbe bestens versorgt." Damit spielte sie auf den Sponsor des deutschen Meisters, einen großen Pharmakonzern, an.
Der Spielmacher der *Baskethunters* schnaubte amüsiert und musterte verstohlen sein Gegenüber. Das Mädchen trug enge schwarze Jeans, die ihre sportliche Figur äußerst vorteilhaft zur Geltung brachten, und um ihren Oberkörper spannte sich ein rotes Sweat-Shirt. Ohne Aufdruck oder Firmen-Label, wie Daniel mit Befriedigung feststellte. Ich hab schon Schlimmeres gesehen, machte sich der 16jährige klar. Bei seinem Hang zu übertriebener Nüchternheit war das schon ein Kompliment.
„Mußt du nach Hause?" fragte er sie.
„Nicht unbedingt", antwortete Cirstin.

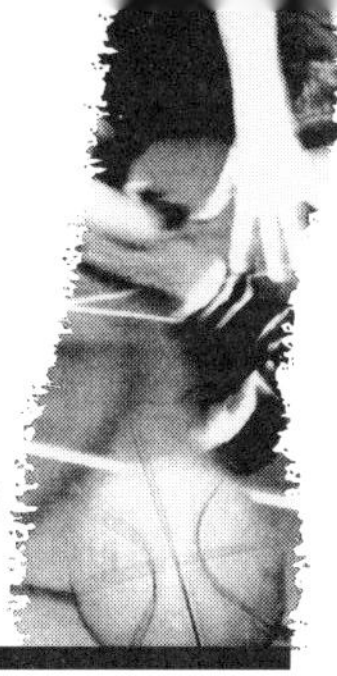

3

Das große, geschwungene *M* über dem Eingang des Schnellrestaurants warf einen neongelben Lichtschein auf die Tische und Stühle draußen. Ab und zu quäkte die metallisch verzerrte Stimme aus der Lautsprecheranlage des Drive-In-Schalters, und die Autofahrer gaben durch das heruntergekurbelte Seitenfenster ihre Bestellungen auf.
Eine Weile beobachteten Daniel und Cirstin schweigend das geschäftige Treiben und genossen nach der stickigen Hallen-Atmosphäre die klare Nachtluft.
„Wäre das eigentlich nicht was für dich?" fragte Cirstin unvermittelt.
„Was?" lächelte Daniel. „Kassierer bei McDonald's?"
Cirstin zog kräftig an ihrem Strohhalm. „Nein", sagte sie, als sie den Cola-Becher wieder abstellte. „Ich meine Profi-Basketballer." Sie sah Daniel offen an. „Noch nie daran gedacht?"
Oh Gott, stöhnte Daniel innerlich auf. Und ob er daran schon gedacht hatte! In der Schreibtischschublade in seinem Zimmer befand sich ein Schnellhefter, in dem er alle Zeitungsartikel über Detlef Schrempf sammelte. Detlef Schrempf, der einzige deutsche Spitzenspieler in der amerikanischen Profi-Liga. Mit 13 Jahren hatte sich Schrempf bei der C-Jugend von Bayer Leverkusen angemeldet. Ein Schüleraustausch brachte ihn in die USA. Dort schulterte er seine Boombox[19] und zog los. In die Stadtviertel, wo man als Weißer normalerweise besser erst gar nicht aus dem Auto steigt. Auf der Straße und

auf den Hinterhöfen lernte er alle Tricks. Er verlängerte seinen Aufenthalt. Verlängerte die Verlängerung. Und blieb schließlich ganz. Heute machte Schrempf bei den *Pacers* in Indianapolis Dampf und verdiente anderthalb Millionen Dollar im Jahr. Als man ihn für die Europameisterschaft 1995 in die deutsche Basketball-Nationalmannschaft berufen wollte, sagte Schrempf einfach nein. Angeblich wegen seiner Familie. In Wahrheit, wußte Daniel, waren dem abgebrühten Siegertypen die deutschen Teamspieler zu bieder, zu brav, zu unprofessionell.

Aber das waren Gedanken, die Daniel für sich behielt. Nicht einmal Cem und Shaq wußten von dem brennenden Ehrgeiz ihres Point Guards.

Aber hier, an diesem Abend und in Gegenwart dieses Mädchens, spürte Daniel auf einmal das Verlangen, etwas von sich preiszugeben. Irgendwie schien Cirstin ihm nicht der Typ Mädchen zu sein, der ihn mit naiver Verständnislosigkeit nerven würde.

„Also ja", sagte Cirstin, die das Schweigen des Streetballers richtig zu deuten wußte.

„Eigentlich steh ich nicht so auf Verein", begann Daniel vorsichtig. „Feste Zeiten, ein Trainer, der einem sagt, was man zu tun und zu lassen hat . . . Na, ich weiß nicht."

„Ohne wird es kaum gehen", meinte Cirstin nüchtern.

„Jetzt redest du wie mein Vater. Der ist so ein richtiger Vereinsmeier. Nölt mir ständig was von Kameradschaft und so vor. Und daß man auch nach Ämtern streben müsse und so 'n Quatsch. Möchte mal wissen, was das

gemeinsame Besäufnis nach jedem Training mit Kameradschaft zu tun haben soll."
„Na ja", warf Cirstin ein, „so schlimm wird es wohl in einem Profi-Club kaum zugehen, oder?"
„Keine Ahnung", wiegelte Daniel ab. „Jedenfalls war ich vor kurzem mal mit meinem Vater in einem Sportgeschäft. Der hat geguckt wie der König von Zamunda persönlich. Hatte nicht mal eine vage Ahnung, wozu die ganzen Geräte und Klamotten, die es mittlerweile gibt, eigentlich verwendet werden. Ich glaube, am meisten hat ihn irritiert, daß der ganze Laden in Pink- und Leuchtfarben geschillert hat."
„Ich denke, du hast was gegen Kommerz", stichelte Cirstin. „Jedenfalls hab ich dich noch nie in was anderem als in einem stinknormalen T-Shirt spielen sehen."
Daniel überlegte einen Moment. „Gut, zugegeben", sagte er dann. „Die Vermarktung von Trend-Sportarten find ich beschissen. Trotzdem ist es gut, daß der Sport sich langsam von festgelegten Disziplinen und Regeln befreit. Schließlich soll jeder machen können, was er will und was ihm gefällt. Wenn jemand meint, er muß, nur an einem Strick festgebunden, eine Hochhauswand senkrecht runterlaufen, dann soll er's eben tun. Und zwar ohne daß Reinhold Messner oder sonst irgendein Ober-Steiger ihm sagt, wie's gemacht wird."
Für einen Moment ärgerte sich Daniel darüber, daß er sich so ereifert hatte. Er warf Cirstin einen versöhnlichen Blick zu und nahm einen großen Schluck Cola.

„Also schön“, sagte Cirstin nach einer Weile. „Dann bleibst du eben der King der Straße und schaust ALBA von der Tribüne aus zu.“
In Daniel stieg die Wut hoch. Dann begriff er die versteckte Anerkennung, die in ihrem Satz lag, und lachte entspannt auf.
„Übrigens“, wollte er wissen, „fährst du mit deinen *Bronx-Katzen* zum Event nach Hamburg?“
„Aber klar“, antwortete Cirsten. „Wir sehen uns.“

4

In Daniels Schläfen pochte heftig der Puls. Sein Brustkorb hob und senkte sich unter mächtigen Atemstößen. Seine Hände krampften sich um die kalte Hantel-Stange, die einen halben Meter über seinem liegenden Körper noch sicher in ihrer Halterung ruhte. Mit einem kehligen Laut drückte er ruckartig die Arme durch – und fünfzig Kilogramm Eisen lösten sich aus dem Gestänge.
Langsam ließ der Spielführer der *Baskethunters* die Hantel sinken. Erst als die Stange fast schon den Stoff seines T-Shirts berührte, schlug Daniel zurück. Zentimeter für Zentimeter drückte er das Gewicht nach oben. Schweiß perlte auf seiner Stirn, und dunkel traten die Venen aus den Muskelsträngen der Arme hervor.
Cem und Shaq standen direkt daneben und verfolgten mit Argusaugen jede Bewegung ihres Point Guards, bereit, sofort einzugreifen, falls ihm die Kraft ausgehen sollte.
Doch Daniel schaffte es allein. Das Gestänge schaukelte heftig, als die Langhantel geräuschvoll in die Halterung zurückfiel. Erschöpft blieb der Streetballer auf der gepolsterten Trainingsbank liegen.
„Meine Fresse", jammerte Thilo und musterte die schwarzen Hantelscheiben, als hätte er es mit einem besonders ekligen Insekt zu tun. „Das treibt ihr doch hoffentlich nicht jeden Abend, oder?"
„Dreimal die Woche", entgegnete Shaq knapp. „Öfter bringt eh nichts."
Daniel schnellte von der Bank hoch und ließ sich zu ein paar Erklärungen herab. „Die Muskeln brauchen Zeit, um

zu wachsen und sich zu erholen. Mindestens zwei, besser drei Tage."

„Sollen sie", murmelte Thilo und schaute sich sichtlich mißgelaunt in dem kleinen Fitneß-Studio um, in dem sich schweißnasse Männer und Frauen an bizarr geformten Stahlkonstruktionen quälten. „Und was bringt das, außer mit dreißig die Invalidenrente?"

„Meinst du, in der NBA oder in irgendeiner anderen Liga der Welt werden den ganzen Tag nur Freiwürfe geübt?" antwortete Daniel mit einer Gegenfrage. „Jeder Profi-Basketballer ist bis zum letzten Muskel top durchtrainiert. Schon allein, um weniger verletzungsanfällig zu sein."

„Die meisten sehen doch aus wie ein Hemd an der Wäscheleine", widersprach Thilo halbherzig. Natürlich wußte er, daß Daniel recht hatte.

„Hast du eigentlich schon mal ein richtiges Streetball-Turnier gespielt?" wollte Shaq wissen.

„Nö", mußte der Junge aus Ost-Berlin zugeben. „Wieso?"

„Na", lachte Shaq, „du wirst dich wundern, mit welchen Typen du es da zu tun bekommst. Neben manchen von denen sieht Godzilla wie ein Plüschteddy aus."

„Technik ist viel wichtiger als Kraft!" brauste Thilo auf. „Und ich bin ein Spitzentechniker, oder nicht?"

Shaq wollte das immer noch nicht gelten lassen. „Und was machst du, wenn so ein Muskeltier dir das gesamte Spiel über auf den Füßen steht? Der nicht mal weiß, wie man das Wort Technik schreibt? Der dich einfach wegdrückt wie eine lästige Fliege?"

Thilo dachte kurz nach. Dann grinste er spitzbübisch und sagte: „Ich spiele ihm einen Knoten in die Beine. Bis er einfach umfällt."
„Sehr wohl, *His Airness*", antwortete Shaq und deutete einen Kratzfuß vor seinem neuen Team-Kameraden an.
Thilo strahlte, als er seinen Spitznamen hörte. Seine Verehrung für Michael *Air* Jordan kannte keine Grenzen mehr, seit der schwarze US-Superstar offenbar ein Comeback bei den *Chicago Bulls*, rechtzeitig zu den diesjährigen Play-offs, plante.
„Wer nicht will, der hat schon", meinte Cem leichthin. „Immerhin haben wir dich gewarnt. Denn man muß es nicht nur hier haben", er spannte den Bizeps seines rechten Arms an und lenkte mit einer Kopfbewegung Thilos Aufmerksamkeit darauf, „man muß es auch hier haben", fuhr er fort und zeigte dabei auf seinen linken Bizeps.
His Airness schnitt eine gelangweilte Grimasse. Diesen Joke kannte er schon.

„Übrigens, ich hab was für dich, Shaq", sagte Thilo, als sie in der Umkleidekabine waren. Aus seiner Sporttasche zog er ein zusammengerolltes Poster und reichte es seinem Kameraden.
Shaq hielt es mit einer Hand in die Höhe, bis sich das großformatige Bild ganz entrollt hatte.
„Wow!" entfuhr es Cem unwillkürlich.
Shaq drehte das Poster herum, so daß auch er es betrachten konnte. „Hey!" rief er begeistert.

Das Poster zeigte sein großes Vorbild Shaquille O'Neal zusammen mit dem Supermodel Cindy Crawford. Der Center[20] der *Orlando Magic* überragte die Beauty-Queen um fast zwei Köpfe und hielt lässig von hinten ihre Hüften umklammert. Cindy Crawford war wie der Basketballer in ein viel zu weites Trikot des Teams aus Florida gehüllt, das dennoch ihre Traumfigur erahnen ließ.
„Irre!" freute sich Shaq. „Das hänge ich mir übers Bett!"
„Als Ersatz für reale Erfolgserlebnisse, was?" spöttelte Daniel.
„Na und?" gab Shaq lässig zurück. „Hier laufen doch sowieso nur Nachtjacken rum. Und überhaupt, welches Mädchen kann es denn mit der aufnehmen?" Fast zärtlich zeichnete er mit dem Zeigefinger die Figur des Poster-Girls nach.

„Na, ich kannte mal eine", mischte Cem sich ein. „Für die hätte ich deine Cindy locker hergeschenkt. Tolle Figur, traumhaftes Gesicht. Wirklich unglaublich. War in der siebten Klasse. Hab nur noch Fünfen geschrieben, weil jeder Blick an die Tafel, weg von ihr, reine Verschwendung gewesen wäre."
„Und was ist passiert?" fragte Shaq gespannt.
„Ihre Eltern sind in einen anderen Stadtteil gezogen. Sie hat dann die Schule gewechselt."
„Hast du sie nie wieder gesehen?"
„Doch", sagte Cem. Für einen Moment ging sein Blick wehmütig ins Leere. „Ein paar Monate später entdeckte ich in einer Kneipe plötzlich ihr Gesicht. Das ist der Mo-

ment, dachte ich. Ich lief gleich zu ihr rüber, an ihren Tisch. Na ja, da saß sie dann. Zum Glück konnte ich mich verdrücken, bevor sie mich bemerkte."

„Wieso?" fragte Shaq verständnislos.

„Eigenlich hätte sie ein Loch in den Tisch sägen müssen, damit sie überhaupt richtig Platz gehabt hätte, versteht ihr? Ich glaube, die könnt ich nicht mal über die Türschwelle tragen, selbst wenn ich jeden Tag ins Studio rennen und Eisen fressen würde."

Shaq und Daniel wußten nicht recht, ob sie lachen oder Mitleid zeigen sollten.

Thilo schüttelte den Kopf. „Na und? Darauf kommt's doch gar nicht an."

Da keiner etwas sagte, bekräftigte er: „Also, mir wäre das egal. Hauptsache, man versteht sich gut."

Shaq rollte das Poster zusammen und verstaute es in seiner Sporttasche.

Als sie zum Ausgang schlenderten, fragte er Daniel: „Was ist eigentlich mit dir?"

„Was soll sein?" meinte Daniel abweisend, denn er wußte natürlich, worauf die Frage zielte.

„Na, mit Mädchen und so", bohrte Shaq nach.

„Ich hab Wichtigeres im Kopf."

„Gibt's das?" wollte Shaq lachend wissen.

„Ja", sagte Daniel nur.

5

Pünktlich zur verabredeten Zeit fanden sich Daniel, Cem, Shaq und Thilo am nächsten Tag wieder auf ihrem Court ein. Stundenlang trainierten sie One-on-One, denn die gewonnenen Duelle beim direkten Zweikampf, Mann gegen Mann, entschieden normalerweise über Sieg oder Niederlage.

Thilo hatte sich aus einer Basketball-Zeitschrift ein paar neue Tricks abgeschaut und brannte darauf, sie den anderen vorzuführen. „You are doing, what you are not doing!" rief er den anderen immer wieder zu – die Grundregel seines Idols Michael Jordan, die soviel bedeutete wie: Man täuscht etwas an, was man gar nicht zu machen gedenkt.

Thilo, dicht bedrängt von Daniel, machte einen Schritt in Richtung Korb. Weil er den Ball dabei ziemlich tief hielt, rechnete Daniel mit einem Durchbruch seines Gegenübers. Instinktiv ließ sich der Point Guard der *Baskethunters* zurückfallen, um den Weg zum Korb zu versperren. Im gleichen Moment zog Thilo seinen Fuß zurück, nahm den Ball hoch und setzte aus drei Metern Entfernung zu einem Sprungwurf an. Daniel sprang hoch und riß die

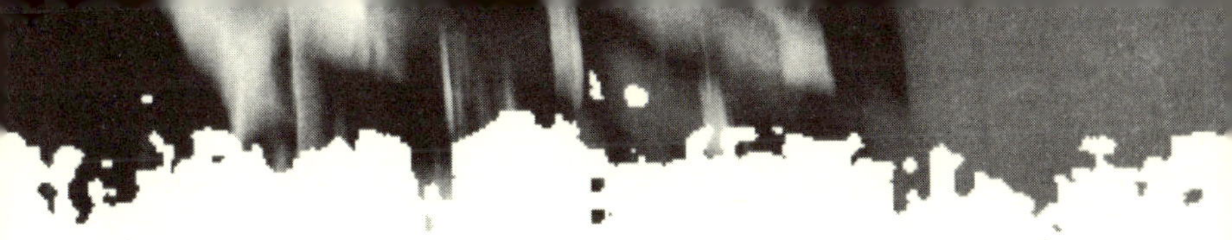

Arme in die Luft, aber die rostrote Kugel segelte über ihn hinweg ins Netz.
„Nicht übel", lobte Daniel seinen Mitspieler. „Hast du noch so ein paar Fakes[21] auf Lager?"
„Klar!" sagte Thilo leichthin.
„Na, dann heb sie dir mal für morgen auf."
„Wieso?"
„Wir haben morgen ein Spiel", gab Daniel seinem Team bekannt.
„Und wo?"
„Hinter schwedischen Gardinen", antwortete Daniel, ohne eine Miene zu verziehen.
Shaq und Cem lächelten nur. Irgendwann würde ihr Spielführer schon mit den Einzelheiten herausrücken.
„Mein Sportlehrer betreut in seiner Freizeit eine Gefängnismannschaft", spuckte Daniel endlich aus. „Und die Jungs möchten gern mal gegen jemand anderen als nur immer gegen sich selbst spielen. Er hat mich gefragt, ob wir nicht mal Lust zu einem Hoop[22] hätten. Ich hab's ihm versprochen."
„Ehrensache", pflichtete Shaq ihm sofort bei.
Nur Thilo schaute leicht skeptisch.
Shaq gab ihm einen leichten Stoß in die Rippen. „Was ist los? Ich denk, du stehst auf Ghetto-Romantik?"
„Hmm", machte Thilo, „meinetwegen."

6

Daniels Sportlehrer erwartete sie am Eingangstor der Jugendstrafanstalt. Wie die vier Jungs trug auch Ludwig Eistert einen lässigen Trainingsanzug. Er drückte den Klingelknopf, sagte seinen Namen in die Gegensprechanlage, und sofort ertönte ein kräftiges Summen. Eistert drückte gegen die schwere Stahltür, die nach innen aufschwang. „Habt ihr eure Ausweise dabei?" fragte er die vier *Baskethunters*.

Daniel, Thilo, Cem und Shaq kramten in ihren Sporttaschen und reichten ihm die Dokumente.
Der Beamte der Wachmannschaft warf einen kurzen Blick darauf und verschloß die Pässe in einer Schublade des Wachraums. „Beim Rausgehen bitte daran denken", schärfte er den vier Streetballern ein.
Dann durften sie passieren.
„Ich bedanke mich schon mal im voraus bei euch, daß ihr gekommen seid", sagte Eistert, als sie über den Innenhof zu den Zellen-Trakten marschierten. „Meine Jungs freuen sich wirklich über jede Abwechslung." Er blieb kurz stehen und machte eine ausladende Geste. „Hier drin gibt es nicht allzu viel davon."

Thilo spürte eine tiefe Beklemmung, als er seine Blicke über die vergitterten Fenster des Gebäudes wandern ließ. Kaum zu glauben, dachte er, hier müssen Menschen Tag und Nacht in einer kleinen Zelle leben, während ich tun und lassen kann, was ich will.

„Weshalb sind die alle hier?“ fragte Thilo.

„Drogen, Körperverletzung . . . – meist kleinere Sachen“, erklärte Eistert. „Aber die meisten sind Wiederholungstäter.“

„Und warum machen Sie das?“

Eistert zuckte die Schultern. „Frag mich was Leichteres. Wahrscheinlich, weil es sonst keiner tut.“

Thilo ahnte, daß er nicht mehr über die Motive des Mannes erfahren würde, und hielt den Mund.

Eistert schleuste sie durch ein Labyrinth von Gängen und vergitterten Türen, zu denen er einen Schlüssel besaß. Schließlich erreichten sie einen spartanisch eingerichteten Umkleideraum. In wenigen Minuten waren die *Baskethunters* umgezogen. Eistert führte sie in die kleine Sporthalle der Anstalt, die Thilo irgendwie an den Maschinenraum eines Ozeanriesen erinnerte: ein schwach beleuchteter Raum ohne Fenster, in dem es modrig roch und der wahrscheinlich früher als Keller oder Lager gedient hatte.

Ihre Gegner waren schon seit längerem dabei, sich warmzuspielen. Neun 18- bis 20jährige Jungs liefen jeweils parallel zueinander von links und rechts auf den Korb zu, einer mit und einer ohne Ball. Unter dem Netz trafen sie sich. Der Ballführende setzte zu einem Korble-

ger an, sein Gegenüber schnappte sich die Pille nach dem Rebound und paßte sie zum Nächsten in der Reihe der wartenden Spieler, während der Schütze nun die Seite wechselte und locker zu den Fängern trabte.
„Typisches Vereinstraining", murmelte Daniel leise.
Eistert hörte es trotzdem und lachte. „Das kennst du doch aus meinem Sportunterricht, was?"
„Ja, leider", meinte Daniel mit gespielter Verzweiflung.
„Ich weiß, daß dich das nervt. Aber hier im Knast ist es wichtig, beim Sport den Teamgeist zu fördern. Einzelkämpfer sind das auf ihre Art sowieso alle."
Daniel nickte und ging aufs Spielfeld.
Eisterts Team stellte das Warm-Up ein und versammelte sich um die vier Gegner.
„Hi, wir sind die *Ghetto-Ghouls*", stellte sich der Mannschaftsführer vor und streckte Daniel die Hand entgegen. „Ich heiße Hunnie."
Hunnie hatte sich ein schwarzes Tuch um den Kopf geknotet und sah aus wie ein Piratenkapitän. Damit war er allerdings die Ausnahme. Die übrigen *Ghetto-Ghouls* zeigten keinen Hauch von Szene. Sie trugen fast ausnahmslos grobe, weiße Unterhemden, einfache Turnhosen und ausgelatschte Turnschuhe.
„Willkommen zum Jailhouse-Zock", sagte Hunnie aufgeräumt.
Wie beim Armdrücken vergruben die *Ghetto-Ghouls* zur Begrüßung ihre Handflächen hart in die von Daniel, Cem, Shaq und Thilo.

Sofort war Thilo wieder obenauf. Das hatte Stil!

„Ich hoffe, unsere Streetballer halten ein Full-Court-Match[23] durch", stichelte Eistert amüsiert. „Wir spielen natürlich auf zwei Körbe, vier gegen vier. – Wieso habt ihr eigentlich keinen Auswechselspieler mitgebracht?" fragte er Daniel.

„Es wird schon gehen", antwortete Daniel einfach.

Eistert hob einen Basketball vom Boden auf und schritt zum Anwurf. Hunnie und Daniel trabten mit ihm zum Mittelkreis. Ihre drei Team-Kameraden nahmen zwei Meter hinter den Point Guards ihre Positionen ein. Die übrigen fünf *Ghetto-Ghouls* setzten sich auf eine Holzbank an der Aus-Linie.

Eistert warf den Ball in die Luft und wich rasch zurück. Daniel und Hunnie federten gleichzeitig hoch und wischten mit ausgestreckten Armen nach der Kugel. Daniel pflückte sie den Bruchteil einer Sekunde früher und gab ihr einen Stoß in Richtung seiner Mitspieler. Shaq nahm den Ball auf, prellte ihn zwei-, dreimal auf den Boden und paßte weiter zu Cem. Der zögerte einen Moment und wartete darauf, daß sich die *Ghetto-Ghouls* in die Defense[24] zurückziehen und sich um ihre Zone herum formieren würden.

Statt dessen zischten die vier Jailhouse-Zocker wie ein wilder Hornissenschwarm auf ihre Gegner zu und tänzelten hektisch um sie herum.

Ach du Scheiße, durchfuhr es Daniel, die spielen Manndeckung über das gesamte Feld. Das kostete enorm

Kraft, war aber bei fünf Auswechselspielern natürlich kein Problem.

Shaq, hart bedrängt von seinem Gegner, hob den Ball mit beiden Händen über den Kopf und wartete, daß ein *Baskethunter* sich freilaufen würde.

So lange mochte der *Ghetto-Ghoul* allerdings nicht zusehen. Er sprang vor Shaq hoch und schlug ihm den Ball aus den Händen ins Aus. Nicht ganz legal, aber Eistert schien von seinen Jungs Schlimmeres gewohnt zu sein und ließ weiterlaufen.

Shaq führte den Einwurf schnell aus – und doch zu langsam. Cem hatte eine Sekunde freigestanden, aber als der Ball auf ihn zuflog, stand schon wieder sein Gegenspieler vor ihm und schnappte ihm die Pille weg. Hunnie war aufs Geratewohl unter den Korb der *Baskethunters* gesprintet und wurde hoch angespielt. Lässig machte er die beiden ersten Punkte für sein Team.

Bald schon wich der Modergeruch in der Halle dem dampfenden Schweiß der acht Akteure. Die *Ghetto-Ghouls* spielten hart, aber fair. „In your face“, der zynische Trash-Talk, mit dem man den Gegner ärgern und damit verunsichern will, schien ebenso verpönt zu sein wie lautes Fluchen. Nur das Quietschen der Turnschuhe auf dem Bodenbelag war zu hören.

„Macht voll Laune!“ rief Thilo Daniel keuchend zu, als er den Ausgleich erzielte. „Nur ziemlich heavy, das Gejapse übers ganze Feld!“

„Wir haben dich gewarnt!“ gab Daniel zurück. „Du bist eben doch noch ein ziemlicher Schlaffi!“
Thilo verbiß sich einen Kommentar. Er brauchte seine Luft zum Laufen.
Die *Ghetto-Ghouls* entwickelten eine mordsmäßige Energie. Wie die Berserker rannten sie zwischen dem eigenen und dem gegnerischen Korb hin und her. Was ihnen an Technik fehlte, machten sie durch verbissenen Ehrgeiz wett.
Als Spielzeit hatte Eistert zweimal zwanzig Minuten festgesetzt. Am Ende der ersten Halbzeit lagen die *Baskethunters* mit fünf Punkten im Rückstand.
In der kurzen Pause gab Daniel die Parole für die zweite Hälfte aus. „Hört zu, wenn wir das hier verlieren, ist das nicht tragisch. Aber vielleicht haben wir heute die letzte Gelegenheit vor Hamburg, ein paar Fakes auszuprobieren. Also hört auf, wie die Wilden rumzurennen, und macht lieber unser Spiel!“
„You are doing, what you are not doing!“ stieß Thilo hervor.
„Genau“, nickte Daniel. „Die Jungs sind gut. Aber wir haben Moves drauf, die die sicher noch nie gesehen haben. Also los!“
Entschlossen betraten die *Baskethunters* das Spielfeld zur zweiten Halbzeit.
Kaum war Daniel in Ballbesitz, sprang Hunnie wie ein Derwisch um ihn herum. Der Typ nervt vielleicht, dachte Daniel. Dennoch behielt der Point Guard einen kühlen Kopf. Er täuschte einen Paß an und hielt den Ball dabei so, als wolle

er seinem Gegner die Gummikugel wie auf einem silbernen Tablett servieren. Tatsächlich wirkte die übertriebene Paß-Bewegung massiv provozierend auf Hunnie. Der Kapitän der *Ghetto-Ghouls* wich unwillkürlich einen Schritt zurück, um den Ball abfangen zu können. In aller Gemütsruhe stieg Daniel zu einem Jump-Shot[25] in die Luft. Hunnie konnte der Pille nur noch nachschauen. Treffer!

Auch Shaq, Cem und Thilo zogen jetzt alle Register der Straße. *Air* alias Thilo wirbelte die Defense des Gefängnis-Teams durcheinander wie eine Flutwelle. Nach einer Weile gab sein Gegenspieler entnervt auf und lief in Richtung Auswechselbank. Aus den Augenwinkeln sah Thilo, wie sich dort ein Spieler erhob, der bei jedem Catch-Wettbewerb eine Sensation gewesen wäre. Augenblicke später stand er Thilo auf den Füßen.

Kein Problem, dachte Thilo und wollte seinen schwerfällig wirkenden Gegner besonders kunstvoll ausdribbeln. Doch irgendwie ging es keinen Zentimeter mehr vorwärts. Ohne sich von der Stelle zu bewegen, schien der Kerl überall zu sein. Allein mit Körpermasse und Standfestigkeit konterte er alle Versuche des *Baskethunters*, an ihm vorbeizuziehen.

Wenn nicht so, dann eben anders, schoß es Thilo durch den Kopf – und kramte einen Trick hervor, den er sich schon oft vorgestellt, aber noch nie anzuwenden gewagt hatte. Eigentlich konnte es gar nicht funktionieren. Jedenfalls widersprach dieser Fake allen Gepflogenheiten – selbst auf der Straße.

Trotzdem: Jetzt oder nie!
Er ging leicht in die Knie und ließ den Ball beim Prellen nicht mehr als dreißig Zentimeter hochspringen.
Das wandelnde Gebirge der *Ghetto-Ghouls* blickte verwirrt zu Boden, und da spielte ihm Thilo den Ball blitzschnell durch die Beine. Im Reflex preßte sein Gegner die Oberschenkel zusammen, wodurch er plötzlich O-Beine bekam und aussah wie eine überdimensionale Charlie-Chaplin-Karikatur. Er schaute dem davonstürmenden Thilo hinterher, als hätte der ihm gerade seine Freundin ausgespannt.
Für einen Moment schien das Match den Atem anzuhalten. Den Ball im Laufen durch die eigenen Beine zu dribbeln, das gehörte zu den Standard-Tricks von sehr guten Technikern. Aber durch die Beine des Gegners . . .?
Die *Ghetto-Ghouls* staunten mit offenem Mund. Der so peinlich gefakte Spieler trottete mit hängendem Kopf zurück zur Reservebank.
Cem und Shaq wechselten einen vielsagenden Blick. Daniel schüttelte fast unmerklich den Kopf, aber lächelte dabei.
Mitte der zweiten Hälfte hatten sich die *Baskethunters* einen respektablen Vorsprung herausgespielt. Gegen Ende aber forderte das ungewohnte Full-Court-Spiel kräftemäßig seinen Tribut. Die Aktionen der vier Streetballer erlahmten zusehends, und ihre Gegner drehten noch einmal richtig auf.
Kurz vor dem Ende drückte Hunnie einen Abpraller vom

Brett zum Sieg für die *Ghetto-Ghouls* in den Korb. Mitten im langsamen Spielaufbau der *Baskethunters* fiel der Schlußpfiff.

Die neun Spieler des Gefängnis-Teams klatschten geräuschvoll die Hände gegeneinander und umarmten sich kurz. Dann kamen sie auf Daniel, Cem, Shaq und Thilo zu und gratulierten den Unterlegenen zu deren gutem Spiel. Thilo lief sofort zu seinem schwergewichtigen Gegenspieler und entschuldigte sich sportlich für seinen gewagten Fake. Der *Ghetto-Ghoul* grinste breit und schlug ihm anerkennend auf die Schulter, daß Thilo beinah in die Knie ging.

„Schätze, auf einen Korb hättet ihr locker gewonnen", erkannte Hunnie die Leistung der *Baskethunters* ehrlich an.

„Vielleicht", sagte Daniel diplomatisch und reichte dem Spielführer des Gefängnis-Teams die Hand. „Seit wann spielt ihr zusammen?"

„Seit 'nem halben Jahr. Früher gab es hier nur Fußball. Er", Hunnie deutete auf Eistert, „hat uns für Basketball begeistert. Leider haben wir die Halle nur zwei Stunden in der Woche. Dabei ist das der einzige Ausgleich, den wir haben. – Und ihr? Spielt ihr bei Turnieren?"

„Ja", erklärte Daniel. „In zwei Wochen ist wieder ein Mega-Event in Hamburg, bei dem wir uns für das Streetball-Challenge-Finale in Berlin qualifizieren wollen."

„Wir halten euch die Daumen", versicherte ihm Hunnie. „Und kommt doch mal wieder."

„Ganz bestimmt", versprach Daniel.

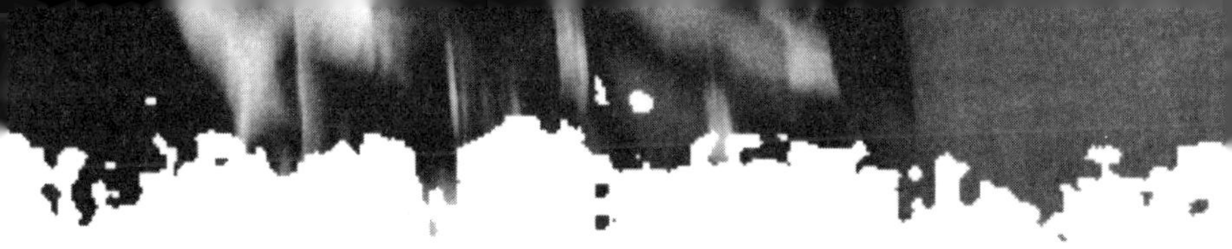

Eistert führte die *Baskethunters* zurück zur Wache. Als Daniel, Shaq, Cem und Thilo ihre Ausweise einsteckten, bedankte er sich noch einmal bei ihnen. „Der Sport bringt den Jungs echt viel – jedenfalls den meisten. Wenn wir so mit ihnen arbeiten, kriegen wir vielleicht einige wieder auf die richtige Bahn. Vielleicht suchen sie nach ihrer Entlassung Anschluß an einen Verein, finden neue Freunde. Solche, die was taugen."

Der Lehrer und Trainer hielt inne. „Jedenfalls wäre es schön, wenn das nicht euer letzter Besuch hier gewesen wäre."

„Auf keinen Fall!" sagte Thilo mit Nachdruck. Er war sichtlich beeindruckt. Zum ersten Mal hatte er hautnah erfahren, daß Streetball viel mehr als nur eine Sportart bedeuten konnte.

7

Auf dem Heiligengeistfeld in Hamburg wuselten Tausende von Kids aufgeregt zwischen den Courts herum. Fetzige Rap-Musik und der dumpfe Aufprall unzähliger Bälle schlug den vier *Baskethunters* entgegen, als sie sich von der U-Bahn-Station dem Austragungsort des Metropolitan-Turniers näherten.

Thilo schleppte neben seiner Sporttasche noch den schweren Ghetto-Blaster. Nur mit Mühe hatten Daniel, Cem und Shaq ihn daran hindern können, schon während der Fahrt von Berlin in die Elb-Metropole die Hard-Rock-Hymne *Balls to the wall* durch den Zug powern zu lassen. Sein Argument, er müsse sich auf das Turnier einstimmen, hatte Daniel kurz und trocken gekontert: Seine Magenwände vertrügen keine Schallwellen.

Während Thilo, Cem und Shaq die Begeisterung der Kids auf dem Heiligengeistfeld auf sich wirken ließen, erledigte Daniel bei der Turnierleitung die Formalitäten. Als er zurückkam, gab er seiner Mannschaft die Nummer ihres Courts und ihre beiden ersten Gegner bekannt: *Bermuda Shorts* und *St. Pauli Kangaroos* stand auf dem Zettel, den er bekommen hatte.

„Wer zum Elch nennt sich denn *Bermuda Shorts*?" rätselte Thilo mit Verachtung in der Stimme.
Daniel zuckte die Schuler. „Was weiß ich."
Wenig später wußten sie's. Als sie den Court gefunden hatten, wo sie ihr erstes Spiel absolvieren sollten, tobten dort vier kurzgewachsene Jungs in grellbunten Shorts herum.
„Die sind wohl ohne Umweg aus einem Ferienclub hierher geflogen", amüsierte sich Shaq.
„Niedlich", meinte auch Cem.
Nur Daniel blieb ernst. Die Erfahrung hatte ihn gelehrt, niemals einen Gegner zu unterschätzen. Streetball-Duelle wurden selten mit dem Mund gewonnen. „Die sind anscheinend gerade erst vierzehn geworden und müssen halt in der Gruppe bis 16 antreten", vermutete der Point Guard.
Die vier Streetballer stellten ihre Taschen ab. Daniel kramte zwei Bälle hervor und warf sie Cem und Shaq zu. Thilo plazierte seinen Monster-Recorder und wollte gerade die *On*-Taste drücken, als Daniel ihm zurief: „Das Ding bleibt aus!"
„Bist du irre?" schrie Thilo entsetzt. „Ich kann ohne Musik nicht spielen!"
„Dann lernst du's halt", gab Daniel knapp zurück.
„Was soll das?" jammerte Thilo. „Hier ist doch überall Krach!"
Da hatte er allerdings recht. Überall waren Boxen aufgestellt, aus denen permanent Rap- und Hip-Hop-Musik dröhnte.

Daniel ließ sich trotzdem nicht erweichen. Es ging ihm ums Prinzip.
„Wie wär's, wenn ihr gleich ohne mich spielt?" schmollte Thilo, setzte sich auf den Boden, schlang die Arme um die Knie und ließ den Kopf hängen, als ginge ihn das Geschehen um ihn herum nichts mehr an.
Shaq ging zu ihm hin und wollte etwas sagen.
Aber Daniel gab sich vorerst unbarmherzig. „Einer muß sowieso erst mal draußen bleiben", informierte er Shaq überflüssigerweise. „Und wir hatten ausgemacht, daß wir zunächst mit dir, mit Cem und mir anfangen."
Shaq schaute unsicher zu Thilo und dann zu Cem, der kurz das Gesicht verzog. Die Sache behagte ihm ganz und gar nicht. Auf der anderen Seite kannte er Daniel und mittlerweile auch Thilo ganz gut. Spätestens nach dem Anpfiff würde alles wieder vergessen sein.

„Also uns stört die Musik nicht", mischte sich einer der *Bermuda Shorts* ein. Sichtlich vergnügt begrüßte er seine Gegner. „Sollen wir euch das Spiel gleich gutschreiben, oder habt ihr ein paar Minuten für uns Zeit?" witzelte der Junge, der sich ihnen mit Namen Nelly vorstellte.
Jetzt mußte auch Daniel lachen. „Na, so schlimm wird's schon nicht werden", munterte er die vier *Bermuda Shorts* auf.
„Wir haben noch nie ein Spiel gewonnen", bekannte Nelly. „Aber wir haben Fun dabei. Ist doch auch was, oder?"
„Eigentlich das Wichtigste", bekräftigte Daniel, auch wenn er nicht immer so dachte.

Der Court-Monitor[26], ein junges Mädchen mit keckem Pferdeschwanz, nahm auf seinem Stuhl am Spielfeldrand Platz und heftete einen blütenweißen Spielberichtsbogen an eine Kunststoff-Kladde. Auf allen Courts um sie herum wurde nun gedribbelt, gepaßt, gefangen und geworfen. Endlich ging es los!

Nach einer Minute hatten die *Baskethunters* schon vier Körbe erzielt.

„Hey, macht mal halblang", rief Daniel seinen beiden Mitspielern zu. Irgendwie taten ihm die *Bermuda Shorts* leid. Er verließ das Spielfeld, ging zu Thilo und sagte: „Na los, komm schon!"

Thilo blickte zu ihm hoch. Einen Moment zögerte er noch, dann sprang er auf, eilte auf den Court und forderte sofort von Shaq den Ball. Blitzschnell dribbelte er seine drei Gegner aus und setzte zu einem perfekten Korbleger an. Bewundernd klatschten sogar Nelly und seine Freunde Beifall.

Shaq und Cem hingegen paßten sich zunehmend lustloser die Bälle zu. Auch sie fanden, daß dieses Match eigentlich unfair war. Am liebsten hätten sie Thilo allein weiterspielen lassen. Schließlich ließen sie vorsätzlich die *Bermuda Shorts* besser ins Spiel kommen. Die vier Kids agierten weiterhin mit ungebrochener Begeisterung. Als Nelly ein Korb gelang, feierten sie den Treffer wie einen Sieg.

Schön, wenn man das Ganze noch so locker sehen kann, schoß es Daniel durch den Kopf. Ganz schnell ver-

scheuchte er diesen Gedanken wieder. Heute war mit Sicherheit nicht der richtige Zeitpunkt, um über Ehrgeiz und Fun zu philosophieren.
Als Shaq einen der *Bermuda Shorts* ohne nennenswerte Gegenwehr an sich vorbeiziehen ließ und dieser auch noch den Korb traf, platzte Thilo der Kragen.
„Wir sind doch keine Sozialarbeiter!“ schrie er Shaq an.
Aber Shaq winkte bloß ab und klopfte dem Schützen auf die Schulter.
Dafür nahm Cem seinen hitzigen Mitspieler kurz beiseite: „Nein“, schärfte er Thilo ein, „wir sind keine Sozialarbeiter. Aber Streetballer. Und wir respektieren jeden, der mit uns spielen will. Egal, ob derjenige im Knast sitzt oder nur ein Bein hat oder sonstwas. Klar?“
Beschämt senkte Thilo den Kopf. Ausgerechnet er, der am liebsten in einem Schwarzen-Ghetto in New York gelebt hätte, mußte sich das sagen lassen. Er ärgerte sich darüber, daß er sich in seinem Wunsch zu siegen hatte hinreißen lassen.
Eine ganze Weile traute sich keiner der *Baskethunters* so recht, den Schlußpunkt zu setzen. Erst als ihre Gegner Anzeichen von Unmut darüber zeigten, daß Shaq, Cem und Thilo das Spiel offenkundig nicht mehr ernst nahmen, erbarmte sich Shaq und machte den 16. Punkt.
Die *Bermuda Shorts* gratulierten aufrichtig. „Hoffentlich werdet ihr Turnier-Sieger“, wünschte sich Nelly. „Dann können wir wenigstens sagen, wir haben gegen die Besten ein paar Körbe gemacht.“

„Wir arbeiten daran“, entgegnete Daniel und griff nach seiner Tasche. Der nächste Gegner wartete bereits.

Sie nannten sich *St. Pauli Kangaroos*. Vier verwegen aussehende Typen, die eine gewisse Klasse erahnen ließen.
„Känguruhs – lachhaft!“ machte Thilo sich selbst Mut. „White men can't jump“, zitierte er den Titel eines legendären Basketball-Films. „Das weiß doch jeder.“
Gerade als das Spiel beginnen sollte, kullerte ein Basketball vom Nachbar-Court über das Feld. Mit langen Schritten eilte ein Spieler hinterher und wäre fast mit Daniel zusammengestoßen. Endlich hatte er die Kugel unter Kontrolle und verzog sich. Der Tanz konnte beginnen.
Schon nach zwanzig Sekunden machten die *Kangaroos* ihrem Namen alle Ehre. Ein Jump-Shot in Vollendung zappelte im Korb.
„Decken!“ befahl Daniel.
Sofort ging Cem in körperlosen Clinch mit dem sprunggewaltigen *Kangaroo*. Noch einmal konnte sich dieser katzengleich entwinden und punktete zum Zwei zu Null. Doch dann wich Cem ihm nicht mehr von der Seite. Wie ein Jagdhund hing der *Baskethunter* nun an seinem Gegenspieler.
Daniel und Shaq schafften den Ausgleich. Sofort wechselte Shaq mit Thilo, der an der Seitenlinie seinem Einsatz entgegengefiebert hatte.
Das rote *Chicago Bulls*-Shirt wehte um seinen Körper, als er um die Zone tänzelte. Mit seinen gewagten Dribblings

provozierte er die *Kangaroos* immer wieder, ihn anzugreifen und die Defense zu entblößen.
Daniel und Cem bekamen dadurch Raum, den sie eiskalt nutzten.
Wildfremde Menschen um den Court herum bejubelten ihre Aktionen. Die dröhende Rap-Musik, die sich mit den Lautsprecher-Durchsagen des Veranstalters und den Anfeuerungsrufen der Zuschauer zu einer eigenwilligen Geräuschkulisse mischte, drang nur noch wie durch Watte an Daniels Ohr.
Der Point Guard der *Baskethunters* war jetzt voll konzentriert.
Als Daniel nach dem nächsten Korb einen kurzen Blick über die Menge um das Spielfeld schickte, fotografierte sein Unterbewußtsein ein bekanntes Gesicht.

Es dauerte ein paar Sekunden, bis Daniels Gehirn das Bild entwickelt hatte.
Cirstin!
Mit keiner Geste gab Daniel zu erkennen, daß er sie gesehen hatte. Aber nur mit Mühe konnte er dem Drang widerstehen, sich auf seinen Gegenspieler zu stürzen, ihm den Ball einfach aus der Hand zu reißen und ihn in den Korb zu donnern.
Shaq gab von der Seitenlinie das Zeichen zum erneuten Wechsel. Jetzt hätte Daniel den Court für zwei Minuten räumen müssen.
Er drehte Shaq den Rücken zu und tat so, als hätte er nichts bemerkt.

Cem warf seinem Spielführer einen fragenden Blick zu. Dann machte er für Shaq Platz.
Daniel begann zu zaubern. Selbst Thilo konnte sich von diesem Zeitpunkt an kaum noch wie gewohnt in Szene setzen.
Mit perfektem Ballhandling zog der Kapitän der *Baskethunters* in einem Höllentempo einen Killer-Crossover[27] durch. Er täuschte seinen Gegenspieler mit einer Bewegung nach links und erwischte ihn prompt auf dem falschen Fuß. Ohne hinzusehen, droppte Daniel den Ball von vorne durch die Beine, nahm die Kugel hinter seinem Rücken blind wieder auf und ließ sie bis unter den Korb mit Gefühl und Finesse zwischen beiden Händen hin und her wandern. Schließlich schloß er zum Zwölf zu Vier ab. Die Zuschauer applaudierten begeistert.
Es dauerte nicht mehr lange, und die *Baskethunters* hatten auch ihr zweites Match gewonnen.
„Gutes Spiel", gratulierte Shaq seinem Kapitän. Gedehnt fügte er hinzu: „Nur leicht eigensinnig."
„Ich weiß", sagte Daniel. Jetzt, nach dem Abpfiff, verspürte er ein leichtes Unbehagen wegen seiner Solo-Einlagen. Aber das Gefühl, vor Cirstin ein glänzendes Spiel geliefert zu haben, war wie ein Rausch, der alle anderen Empfindungen überdeckte.
Geschäftig-sinnlos begann Daniel in seiner Sporttasche rumzukramen. Er hoffte, daß Cirstin vorbeikommen würde. Als er kurz den Kopf hob, sah er, daß sich die Zuschauermenge um den Court längst aufgelöst hatte.

Auch Cirstin war verschwunden.
Statt dessen kam Thilo auf ihn zu. *His Airness* grinste zufrieden. „Ich hab ja gleich gesagt, daß die genauso harmlos sind wie Skippy, das Buschkänguruh."
„Woher kennst du denn das Viech?" wollte Shaq wissen.
„Das lief doch vor Jahren mal im Fernsehen, oder so."
„Hey, ich komme aus Ost-Berlin – nicht vom Mond", stellte Thilo klar und hüpfte in Känguruh-Manier um seine Kameraden herum.
„Mann, stell doch mal einer den Typ ab!" forderte Shaq in gespielter Verzweiflung Daniel und Cem auf.
„Kommt nur her! Känguruhs können boxen!" drohte Thilo.
„Ja, wahrscheinlich", mischte sich Daniel ein. „Aber nicht Basketball-Spielen."

Die erste Runde hatten die *Baskethunters* unerwartet locker überstanden. Bis zum nächsten Spiel hatten sie nun eine Weile Zeit. Gut gelaunt schlenderten Daniel, Thilo, Cem und Shaq über das riesige Areal.
Zwei Break-Dancer führten zu „old school"-Hip-Hop-Musik ihre waghalsigen Sprünge und Drehungen vor. Eine dichte Menschentraube stand um sie herum und feuerte sie rhythmisch an. Mit angelegten Ellenbogen schlängelte sich Thilo in die erste Reihe. Die Tänzer bewegten sich, als stünde der Asphalt unter elektrischer Spannung und kitzelte ihre Sohlen mit Stromschlägen. Ihre grotesken Verrenkungen schienen die Möglichkeiten des menschlichen Körpers zu übersteigen.

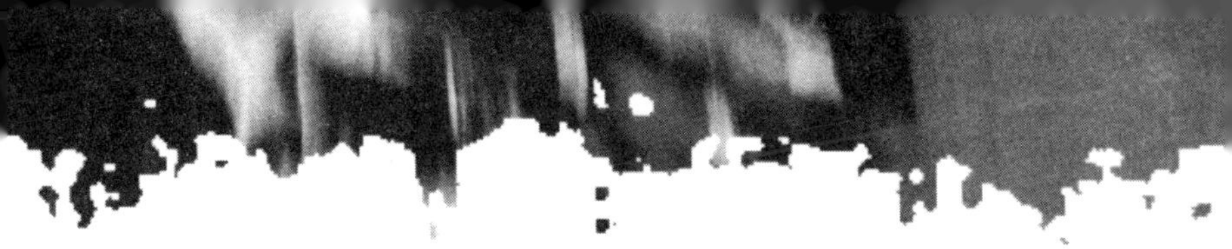

Thilo wippte begeistert hin und her. Nach einer Weile drehte er sich zu Daniel, Cem und Shaq um, die in einiger Entfernung warteten. Thilo mußte sich mächtig strecken, um ihnen über die Köpfe der Zuschauer hinweg mit den Händen zu signalisieren, daß sie weitergehen konnten. Er hatte hier alles, was er brauchte.
Shaq und Cem zog es zu den BMX-Artisten. Auch Daniel schaute eine Weile der waghalsigen Sprung-Akrobatik der Freestyler auf ihren 20-Zoll-Rädern zu. Nach fünf Minuten wendete er sich ab.
„Was hast du vor?" fragte Shaq ihn.
„Wir treffen uns in einer halben Stunde vor dem Turnierbüro", bestimmte Daniel. „Ich schau mich noch 'n bißchen um."
Auf dem Heiligengeistfeld grenzte an diesem Tag Court an Court. 580 Teams hatten sich angemeldet. Aus der Luft mußte das Ganze aussehen wie ein riesiger Teppichboden mit dunklen, quadratischen Mustern.
Daniel ging zur Pin-Wand mit den Spielplänen und fuhr mit dem Zeigefinger die Spalten rauf und runter, bis er bei den „Girls, Altersstufe 14–16" die *Bronx-Katzen* aus Berlin gefunden hatte. Er merkte sich die Court-Nummer.

Cirstin und ihr Team trugen rote T-Shirts, auf die sie einen schwarzen Pantherkopf aufgebügelt hatten. Die Augen des Tiers leuchteten gelb.
Nicht übel, dachte Daniel und warf einen Blick über die Schulter des Court-Monitors. Bei den *Bronx-Katzen*

zählte er vierzehn Striche, bei ihren Gegnerinnen acht. Noch zwei Körbe bis zum Sieg.
Daniel versteckte sich ein wenig hinter den anderen Zuschauern und beobachtete gespannt das Spiel.
Cirstin machte dem Namen ihrer Mannschaft alle Ehre. Echt wie eine Katze, dachte Daniel versonnen.
Aus den Bewegungen des Mädchens sprach eine Mischung aus Anmut, Kraft und Geschicklichkeit. Und sie schien einen sensiblen Riecher dafür zu haben, immer im richtigen Moment irgendwas Besonderes mit dem Ball anzustellen.
Cirstins Drang zum Korb war unwiderstehlich. Blitzschnell zog sie an ihrer Gegnerin vorbei, sprang einbeinig ab und führte den rechten Arm in Richtung Korb. Der Ball kullerte fast gemächlich über ihre ganze Hand in den Ring. Bei der Landung achtete Cirstin gekonnt auf ihre Mit- und Gegenspieler, um nicht auf einem fremden Fuß aufzukommen und möglicherweise umzuknicken.
Klasse! dachte Daniel und klatschte spontan Beifall.
Die Gegnerinnen der *Bronx-Katzen* sahen zwar nicht so aus, nannten sich aber trotzdem *Barbie Puppets*. Nach Cirstins Korb bekamen die eher kräftigen *Puppets* den Ball, die *Bronx-Katzen* wechselten in die Defense.
Der Forward[28] der *Barbie Puppets* prellte den Ball unentschlossen im Stand. Sie schien zu überlegen, ob sie einen schwierigen Korbleger durch die gegnerische Deckung wagen sollte, entschied sich aber dagegen. Ihre Mitspielerinnen versuchten sich freizulaufen, waren jedoch zu

gut gedeckt. In ihrer Verzweiflung riskierte das Mädchen einen Distanzwurf hinter der 6,25-Meter-Linie.
Daneben!
Das Brett zitterte geräuschvoll, als die Kugel weit ins Feld zurückprallte. Wie ein Frosch nach einem Insekt schnappte Cirstin den Ball aus der Luft und stieg in der gleichen Sekunde zu einem Sprungwurf hoch. Kraftvoll stieß sie den Ball von sich, klappte routiniert das Handgelenk ab und stand sofort wieder in Grundstellung. Ohne das Brett zu berühren, senkte sich der Ball ins Netz.
Lautstark bejubelten die *Bronx-Katzen* ihren Sieg.
Eine Weile blieb Daniel unschlüssig stehen. Er wollte sich gerade zum Gehen wenden, als Cirstin ihn entdeckte.
„Hey!" rief sie und kam lachend auf ihn zu.
„Ich hab euer Spiel gesehen", sagten beide fast gleichzeitig. Sie brachen abrupt ab und warteten, wer von ihnen als erster weiterreden würde. Dann mußten beide lachen.
„Auf einmal warst du weg", begann schließlich Daniel.
„Ich bin auch nicht als Zuschauer hier. Ich mußte zu unserem Spiel", antwortete Cirstin.
„Wie war's?" wollte Daniel wissen.
„Knapp, aber wir haben es", sagte Cirstin stolz.
„Dann sind wir wohl beide weiter, wie es aussieht."
„Ja, super", freute sich das Mädchen. „Trinken wir was?"
Sie schlenderten zu einem der zahlreichen Getränkestände.
„Wann geht's bei euch weiter?" fragte Cirstin.

„Noch 'ne Stunde oder so. Warum?"
„Hast du schon mal mit Kohlensäure im Magen gespielt?" antwortete Cirstin mit einer Gegenfrage. „Aber wenn wir noch so lange Zeit haben, kann 'ne Cola wohl nichts schaden."
Sie bestellte zwei Becher und reichte einen davon Daniel.
„Eigentlich gehören die Spielführer bei so einem Turnier ja ihrer Mannschaft", bemerkte Cirstin beiläufig.
„Ich bin kein Kindermädchen", wehrte Daniel ab. „Und du?"
„Ich bin höchstens die Katzen-Mutti", alberte Cirstin. „Aber jetzt hab ich frei!"
Sie setzten sich auf eine Wiese und hielten dabei gebührenden Abstand von einer Bühne, auf der eine Sängerin lautstark ins Mikrophon rappte.

Cirstin ließ sich ins Gras sinken und blinzelte gegen die Sonne. Auch Daniel spürte, wie er von der Atmosphäre förmlich eingelullt wurde und blickte sich unbehaglich um.
„Was hast du?" fragte Cirstin schließlich, die ihm seine Unruhe anmerkte.
„Nichts", sagte Daniel gedehnt.
„Mir kannst du nichts vormachen." Und Daniel dachte nur: Ja, seltsam.
Mit einem Ruck setzte das Mädchen sich auf. „Du hast Angst, daß deine Konzentration drunter leidet, wenn du hier mit mir rumhockst. Stimmt's?"
„Ein bißchen", gab Daniel zu. „Aber es hat nichts mit dir zu tun."

„Geschenkt", meinte Cirstin und stand auf. „Vielleicht hast du ja recht. Ich will diesen Event hier eigentlich auch gewinnen. Und zuviel Ablenkung schadet nur."

Sie machte Anstalten zu gehen.

Daniel mußte etwas sagen. „Sag mal . . .", begann er zögernd.

Cirstin blieb stehen und sah ihn erwartungsvoll an.

„Würde es unserer Konzentration sehr abträglich sein, wenn wir heute abend was zusammen unternehmen?" formulierte er.

„Glaub ich kaum", meinte Cirstin. „Es sei denn, ihr oder wir stehen tatsächlich morgen im Finale. Dann weiß ich allerdings nicht, ob ich mit dir noch spät um die Häuser ziehen sollte."

„So weit wird's schon nicht kommen", antwortete Daniel ironisch.

Cirstin riß in gespieltem Zorn ihren leeren Cola-Becher hoch und warf ihn nach Daniel, verfehlte den *Baskethunter* aber knapp.

„Hoffentlich kannst du mit dem Ball besser umgehen als mit dem Ding hier", fuhr Daniel fort, sie aufzuziehen.

Cirstin warf den Kopf in den Nacken und lachte laut. „Verlaß dich drauf!"

Cirstin sollte recht behalten. Weder die *Magic Girls* noch die *Cycle Sluts from Hell* oder die *Asphalt Jumpers* konnten das Team aus Berlin aufhalten.

Nach sieben gewonnenen Spielen standen die *Bronx-Kat-*

zen im Halbfinale des Metropolitan-Turniers, das am frühen Abend ausgetragen wurde.
Ihre Gegnerinnen trugen auffällige gelb-schwarz gestreifte T-Shirts und nannten sich *Jessebells*.
„Was is 'n das für ein Name?" wollte Marthe, die kleinste, aber beweglichste der *Bronx-Katzen*, von ihrer Spielführerin wissen.
Cirstin zuckte die Schulter. „Keine Ahnung. Aber so, wie die ihren Dress gefärbt haben, hat's vielleicht was mit Wespen oder so zu tun."
Ungläubig zog Marthe die Mundwinkel herunter. Nun wollte sie es genau wissen. Sie schlenderte auf die vier Streetballerinnen zu, die bereits mit ihrem Warm-Up unter dem Korb begonnen hatten, und wiederholte ihre Frage.
Die *Jessebells* unterbrachen ihre Vorbereitung und bauten sich reichlich theatralisch vor Marthe auf.
„*Jessebells* sind seltene Raubkatzen, die besonders für ihre Angriffslust bekannt sind", erklärte die Spielführerin des Teams in einem Tonfall, als sagte sie in der Schule ein Lexikon-Kapitel auswendig auf. Dabei versuchte sie angestrengt, eine Miene aufzusetzen, die einem aggressivem Raubtier angemessen war. Es gelang ihr aber nicht ganz.
„Nie gehört", meinte Marthe zweifelnd, die nicht nur in Biologie die Beste in ihrer Klasse war.
„Stimmt aber", beharrte ihr Gegenüber.
„Und wenn schon", meinte Marthe leichthin. „*Bronx-Kat-*

zen haben auch scharfe Krallen." Sie drehte sich um und lief zu ihren Mitspielerinnen zurück, zufrieden, daß sie sich in dem kurzen Psycho-Duell so gut geschlagen hatte.
„Und?" fragte Cirstin.
„Soll 'ne Art Raubkatze sein", berichtete Marthe knapp. „Glaub ich aber nicht."
Sie flüsterte Cirstin etwas ins Ohr, die daraufhin in lautes Gelächter ausbrach.
„Dürfen wir mitlachen?" fragte Daniela, die dritte im Team, ärgerlich.
„Sorry", sagte Cirstin, „aber das war nur was für die Großen."
Daniela, mit ihren 15 Jahren nur ein Jahr jünger als Cirstin und Marthe, packte mit beiden Händen einen Basketball und warf ihn nach ihrer Team-Leaderin.
Instinktiv drehte sich Cirstin zur Seite. Die Kugel prallte dumpf gegen ihre Rippen. „Ist ja gut!" rief sie Daniela zu, immer noch lachend. „Also erzähl!" forderte sie dann Marthe auf.
Marthe schaute leicht verlegen zu Boden. „Na ja, eigentlich nichts Besonderes", begann sie zögernd. „Nur, mein Bruder hatte mal so 'n Poster in seinem Zimmer hängen . . ."
„Und?" fragte Daniela gespannt.
„Tja, und die Frau darauf hieß eben auch Jessebell, glaub ich jedenfalls. Fiel mir nur gerade so ein."
Daniela verstand immer noch nicht. „Na und? Hatte die vielleicht auch ein gelb-schwarzes T-Shirt an?"

„Nein", sagte Marthe gedehnt. „Die hatte überhaupt nichts an."
Nun lachten alle vier. Auch Chris, die Auswechselspielerin. „Na, ich will doch hoffen, daß hier und heute wir diejenigen sind, die die *Jessebells* ausziehen", höhnte sie übermütig.
„Bis auf die Knochen!" bekräftige Cirstin.

Diesmal irrte sich Cirstin. Die *Jessebells* erwiesen sich als eingespieltes Top-Team, das den *Bronx-Katzen* mindestens ebenbürtig war.
Die Spielerinnen und Spieler der ausgeschiedenen Mannschaften scharrten sich um die Courts, auf denen die Halbfinals ausgetragen wurden, und sorgten für eine Hyper-Stimmung.
Besonders Mascha, die Leaderin der *Jessebells*, war eine super Spielmacherin, wie selbst Cirstin neidlos zugeben mußte. Ohne sich auch nur ein einziges Mal auswechseln zu lassen, fegte sie die gesamte Zeit über den Court, schwitzte mindestens eine Gallone Wasser aus den Poren und trieb das Spiel ihres Teams an, ohne ihr Können zu inszenieren. Sie spielte Basketball pur, ohne jeden Hang zum Hoop it up![29] der Straße.
„Die ist bestimmt im Verein", keuchte Daniela, als ihr Mascha wieder einmal entwischte und punktete.
„Scheint so", nickte Cirstin und beschloß, die treibende Kraft der *Jessebells* in Manndeckung zu nehmen.
Null zu fünf lagen die *Bronx-Katzen* bereits im Rückstand.

Cirstin behakte Mascha jetzt so eng, daß sich die beiden Spielerinnen gegenseitig eine Zeitlang fast völlig neutralisierten. Das Match verlagerte sich zu Marthe und Daniela, die einen Tick besser drauf waren als Terri und Alex von den *Jessebells*. Punkt um Punkt kämpften sich die *Bronx-Katzen* heran, holten Korb um Korb auf. Als Marthe den Ausgleich durch den Ring jagte, fielen sie sich jubelnd in die Arme. Die Menschentraube um das Spielfeld herum brach in Ovations aus.
Cirstin ging nun immer aggressiver gegen Mascha zur Sache. Die Offense-Spielerin[30] der *Jessebells* versuchte immer wieder, Cirstin aus der Zone zu locken, um dann mit einem schnellen Cut[31] zum Korb schneiden zu können. Aber Cirstin hielt geschickt einen angemessenen Reaktionsabstand ein und verstellte ihrer Gegnerin ein ums andere Mal den Weg.
Als die *Jessebells* erstmals zurücklagen, nahm Mascha für ihr Team eine Auszeit.
Auch Cirstin, Marthe und Daniela waren froh um die kurze Pause und ließen die Plastikflasche mit Wasser rumgehen, während ihre Gegnerinnen die Köpfe zusammensteckten und Mascha offenbar heftig auf ihre Mitspielerinnen einredete.
Nach einer halben Minute ging es weiter. Nach dem Anschiß ihrer Chefin drehten die *Jessebells* nun kräftig auf. Mascha machte sich mit einer eleganten Körpertäuschung frei, bekam den Ball, dribbelte in Richtung Freiwurflinie und machte Anstalten abzuheben. Cirstin sprang

ihr entgegen und versuchte sie zu blocken. Kurz zog Mascha den Ball weg. Cirstins Verteidigung ging ins Leere. Mit einem sicheren Wurf traf die Gelb-Schwarze den Korb.
„Geht das schon wieder los", stöhnte Marthe.
Cirstin biß sich wütend auf die Unterlippe und lief zum Einwurf.
Das Spiel wogte hin und her. Mit einem Glückstreffer schaffte Daniela den Ausgleich. Wenige Sekunden später lagen die *Jessebells* wieder vorne.
Mehrmals mußten Cirstin, Marthe und Daniela einem Rückstand hinterherlaufen. Das zerrte an den Nerven.
Als Mascha erneut versuchte, mit einem guten Fake an Cirstin vorbeizuziehen, rechnete sie nicht mit der Leaderin der *Bronx-Katzen*. Cirstin hetzte ihrer Gegnerin hinterher, holte sie ein und versuchte, ihr den Ball wegzuschlagen. Energisch hielt Mascha dagegen. Das kleine Handgemenge zwischen den beiden endete mit einem Foul Cirstins.
Sofort drehte sich Mascha zum Court-Monitor um. Dann schien ihr plötzlich einzufallen, daß dieser nur Beobachter, aber kein Schiedsrichter war. Sie sah Cirstin in die Augen und sagte mit Nachdruck: „Foul!"
„Ich weiß", gab Cirstin zerknirscht zu und reichte ihr den Ball zum Freiwurf.
Mascha verwandelte sicher.
Vom Spieldfeldrand aus wedelte Chris aufgeregt mit den Armen und deutete mit einer übertriebenen Geste immer wieder auf ihr linkes Handgelenk.

Cirstin verstand. Es stand zwar erst zwölf zu zehn für die *Jessebells*, aber es ging scharf auf die Zwanzig-Minuten-Grenze zu, die ein Match nicht überschreiten durfte. In diesem Fall würde das Spiel beim aktuellen Spielstand abgepfiffen – egal, ob eine Mannschaft sechzehn Punkte erzielt hatte oder nicht. Und zur Sekunde lagen die *Jessebells* vorne!

Marthe lief zum Einwurf, Alex von den *Jessebells* retournierte regelgemäß ihren Paß, und der Ball war wieder im Spiel. Marthe paßte zu Daniela, die entschlossen in Richtung Korb zog. Als ihr die Defense den Raum dichtmachte, spielte sie weit zurück zur freistehenden Cirstin. Die Uhr lief gnadenlos ab.

Cirstin stand meterweit vom Korb entfernt, hinter der 6,25 Meter-Linie. Sie hatte keine Ahnung, was sie tun sollte. Aus den Augenwinkeln heraus sah sie, wie der Court-Beobachter seine Armbanduhr fixierte und langsam die Pfeife zum Mund führte.

Da setzte plötzlich ihr Bewußtsein aus. Die Anfeuerungsrufe der Zuschauer drangen nur noch wie aus weiter Ferne zu ihr. Die fünf übrigen Spielerinnen auf dem Platz verschwammen im Bruchteil einer Sekunde zu gesichtslosen Schemen. Nur der Korb ragte überdeutlich vor ihren Augen empor.

Mit einem Mal hob Cirstin ab, stand wie eine Libelle regungslos in der Luft – und schoß. Wie in Zeitlupe sah sie den Ball in einem perfekten Bogen auf den Ring zufliegen. Erst als Daniela, Marthe und Chris jubelnd auf sie zu-

gerannt kamen, erwachte Cirstin aus ihrem Trance-Zustand. Ein Zwei-Punkte-Wurf in der letzten Sekunde!
Um den Court herum brodelte es. Die *Jessebells* standen wie erstarrt.
Zwölf zu zwölf nach zwanzig Minuten Spielzeit. Unentschieden. Das bedeutete, daß nun bis zum „Sudden Death" verlängert wurde. Wer den nächsten Korb erzielte, hatte das Match gewonnen.
Nach Cirstins Treffer kamen die *Jessebells* in Ballbesitz. Von ihrer druckvollen Aggressivität war nichts mehr zu spüren. Mascha, Terri und Alex paßten sich gegenseitig den Ball zu. Keine wollte diejenige sein, die mit einem Fehlwurf oder einem verpatzten Dribbling das Spiel vergeigte.
Wegen des offensichtlichen Zeitspiels drängte der Court-Beobachter die *Jessebells,* ihren Angriff endlich auszuführen. Andernfalls würden die *Bronx- Katzen* den Ball bekommen.
Mascha faßte sich ein Herz. Sie löste sich blitzschnell von Cirstin und setzte zu einem Sprung zum Korb an.
Doch Cirstin war schon wieder bei ihr und federte ebenfalls kraftvoll nach oben. Mit den Fingerspitzen kam sie an den Ball, den Mascha gerade ins Netz drücken wollte, und wischte ihn zur Seite. Die Pille balancierte einen Lidschlag lang auf dem eisernen Ring, dann gehorchte sie dem Gesetz der Schwerkraft – und kippte seitlich weg, ins Feld zurück.
Daniela und Marthe, die gebannt Cirstins Aktion verfolgt hatten, rissen erleichtert die Arme hoch.

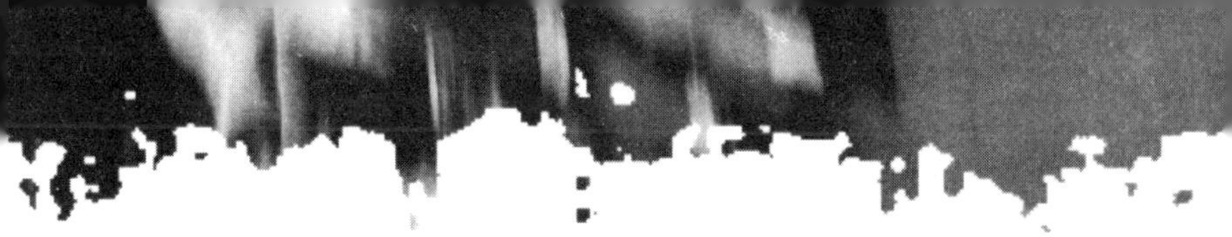

Mascha und Cirstin prallten bei ihrer Landung auf dem Boden zusammen. Unter Schmerzen taumelten die beiden auf ihre Positionen zurück.
Alex führte den Einwurf für die *Jessebells* gedankenschnell aus. Marthe und Daniela freuten sich noch über Maschas mißlungenen Korbleger.
Cirstin sah das Unheil kommen, spürte aber ein heftiges Stechen in der Leistengegend, als sie sich in den Paß werfen wollte.
Wie durch Zauberei stand Mascha plötzlich direkt unter dem Korb. Sie sprang in Richtung Brett und hielt dabei den Ball weit weg von ihrem Körper, um ihn vor Cirstins Zugriff zu schützen. Mit verzerrtem Gesicht stürzte die Leaderin der *Bronx-Katzen* herbei. Geschickt legte sich Mascha den Ball von der rechten in die linke Hand und lupfte ihn in den Korb. „Aaah!" preßte sie die Anspannung aus sich heraus. Cirstin konnte nur noch zusehen, wie sich das Netz bauschte. Sie schleuderte ein Wort raus, das sie normalerweise verabscheute.
Die *Jessebells* hatten das Finale erreicht.
Die vier *Bronx-Katzen* standen da wie die Dinosaurier bei der Sintflut. Ihre Gegnerinnen lagen sich in den Armen und strahlten um die Wette.
Marthe kämpfte mit den Tränen. „Daß die so gut sind, hätte ich nicht gedacht", brachte sie mühsam hervor.
Cirstin war so erledigt, daß sie nichts mehr reden oder auch nur denken mochte. Sie sank zu Boden und schloß die Augen.

„Hey, das war vielleicht ein Spiel! Wenn bei uns mal einer ausfallen sollte, gehört sein Platz dir“, hörte sie jemanden sagen.
Langsam schlug sie die Augen wieder auf und sah in Daniels Gesicht, der sich über sie beugte.
„Hast du's gesehen?“
„Nur die letzten paar Minuten“, sagte Daniel. „Bei uns hat es auch etwas länger gedauert.“
Die *Baskethunters* hatten nahezu zeitgleich mit den *Bronx-Katzen* ihr Halbfinal-Spiel bestritten.
„Und?“ fragte Cirstin.
„Alles klar“, sagte Daniel. „Wir sind morgen dabei.“
„Spitze“, gratulierte sie und rappelte sich langsam auf.
„Soll ich dir 'ne Cola holen?“ fragte Daniel besorgt.
„Eine? Geizhals!“ sagte Cirstin und ließ sich von ihm auf die Beine helfen.

8

Wie die meisten Teams hatten auch die *Baskethunters* ihr Nachtquartier in der Jugendherberge aufgeschlagen, die nur zehn Fußminuten vom Heiligengeistfeld entfernt lag.

Als Daniel vom Duschraum durch die langen Gänge zu ihrem Vier-Bett-Zimmer marschierte, fühlte er sich in eine riesige Spielhalle versetzt. Aus allen Zimmern drang der dudelnde Sound zahlloser Computer-Spiele. So als würde man ein paar Dutzend Mäuse abwechselnd am Schwanz ziehen, bis sie in unterschiedlichen Tonhöhen quiekten. Dazwischen sorgten ein paar dumpfe Explosionen für Klangvolumen.

Daniel warf sich in Jeans und Sweat-Shirt und machte sich auf die Suche nach Cem, Shaq und Thilo. Er fand sie im überfüllten Fernsehraum, wo die Streetball-Kids mit Tasten und Joystick das Turnier fortsetzten.

Shaq hatte sich in ein Spiel vertieft, das sein großes Vorbild Shaquille O'Neal zu elektronischem Leben erweckte. Als „Shaq Fu" mußte der US-Basketball-Crack gegen den machtgierigen „Sett Ra" und dessen Bande antreten. Gekonnt führte Shaq seine Spielfigur durch ein Labyrinth von engen Gassen. Sobald ein Gegner auftauchte, hämmerte er wie besessen auf die Tastatur und ließ „Shaq Fu" zu einem Prügelknaben mutieren, dessen Arme wie Dreschflegel wirbelten.

Daniel schüttelte den Kopf und gesellte sich zu Cem und Thilo.

Die beiden steckten mitten in einem Bildschirm-Duell, das

mit realistischem Basketball wenig zu tun hatte, aber trotzdem jede Menge Fun bot. Thilos und Cems Spielfiguren flogen regelrechte Traum-Dunks auf dem Farbbildschirm. Ihre beiden Gegner hauten mißmutig auf die Tasten und versuchten, das Spiel besser unter Kontrolle zu bekommen. Plötzlich tauchte auf dem Monitor ein kleines Paket, ein sogenanntes „Power-up-Icon", auf. Hektisch lenkte Thilo seine Figur zu dem Grafik-Element. Kaum hatte der digitale Spieler das „Power-up-Icon" berührt, verfügte er kurzfristig über Superkräfte. Wie von einer Kanone abgeschossen, sprang er in die Luft, höher noch als das Brett, und hämmerte den Ball in den Korb. Thilo schrie begeistert auf. Auch die Umstehenden nahmen lautstark Anteil an der gelungenen Aktion.

Die werden mich kaum vermissen, entschied Daniel und steuerte auf den Ausgang der Jugendherberge zu.
In ein paar Minuten war er mit Cirstin verabredet.

Sie fuhren mit der U-Bahn zur „Großen Freiheit". Die Sonne versank als rotglühender Ball am Horizont, während rund um das Amüsierviertel der Tag erst begann. Daniel wollte mit Cirstin ins *Rock-Café*.
Offenbar hatten eine Menge anderer Streetballer dieselbe Idee. Immer wieder hob sich eine Hand zum Gruß, als die beiden der Musikkneipe zustrebten.
„Na, wie bist du drauf?" wollte Daniel von Cirstin wissen.
Cirstin verzog das Gesicht. „Eigentlich gibt's ja keinen Grund, sich zu ärgern . . ."

„Aber?“
„Wir haben ein tolles Match gezeigt . . .“
„Du ganz besonders“, unterbrach Daniel sie.
„Ich ganz besonders“, sagte Cirstin, ohne sich im mindesten etwas darauf einzubilden. „Aber es hat eben nicht ganz gereicht.“
„Na und“, meinte Daniel leichthin. „Ihr könnt doch in Berlin trotzdem wieder starten. Ist schließlich ein offenes Turnier, auch wenn's Deutschland-Finale heißt. Nur daß ihr eben wieder Anmeldegebühren löhnen müßt.“
„Die euch geschenkt werden, wenn ihr morgen gewinnt.“ Cirstin kannte den Austragungsmodus des Streetball-Challenge.
„Ja“, lachte Daniel. „Das ist wohl so ziemlich das einzige Privilig der Champions der einzelnen Events“, untertrieb er.
Sie hatten das *Rock-Café* fast erreicht.
„Geh du vor“, bat Cirstin ihn.
Daniel wollte gerade die Tür aufstoßen, als sich plötzlich eine Hand auf seine Schulter legte. Mit einer schnellen Bewegung schüttelte der Streetballer sie ab und federte herum.
Vor ihm stand ein elegant gekleideter Mann, der gewinnend lächelte. Daniel schätzte ihn auf etwa Mitte Vierzig.
„Was soll das?“ fragte er ungehalten. „Gibt's hier Türsteher, oder was?“
„Aber keineswegs, Daniel“, sagte der Mann freundlich. „Du heißt doch Daniel, nicht wahr?“

„Kommt darauf an, wer das wissen will", antwortete er abweisend und wechselte einen schnellen Blick mit Cirstin.
Die verdrehte die Augen, als wollte sie sagen: Mit so was muß man in dieser Gegend hier wohl rechnen.
„Darf ich dich und deine reizende Begleiterin einladen?" fragte der Mann.
Das wird ja immer schöner, dachte Daniel. Er stellte sich schützend vor Cirstin und zischte: „Danke, kein Interesse." Dann zog er Cirstin sanft von der Tür weg und wollte gehen.
„Entschuldige, du hast natürlich recht", rief der Mann und kam Daniel und Cirstin hinterher. „Ich sollte mich wohl erst einmal vorstellen." Er griff in die Innentasche seiner Lederjacke, zog eine Visitenkarte hervor und reichte sie Daniel.
Aus purer Neugier warf Daniel einen kurzen Blick darauf. Ich werd verrückt, durchfuhr es ihn. Auf der Karte prangte das Wappen eines der besten deutschen Basketball-Vereine.
Manfred Goldmann – Jugendleiter, las Daniel.
Verblüfft blieb er stehen.
„Ja, also, um es kurz zu machen", begann der Mann, „ich schaue mir das Streetball-Turnier im Auftrag eines großen süddeutschen Basketball-Vereins an, dessen erste Herrenmannschaft in der Bundesliga spielt. Ich habe dich heute eine Weile beobachtet. Du bist ein Spitzen-Gunner[32] und hast tolle Moves drauf."

Er machte eine Pause und schien darauf zu warten, daß Daniel seinen Streetball-Jargon würdigte.
Daniel verzog keine Miene.
Goldmann redete weiter. „Ich würde dich gerne zu einem Probe-Training mit unserer ersten Jugendmannschaft einladen. Fahrtkosten, Spesen und Übernachtung, alles inklusive.“ Er schaute Daniel durchdringend an. „Du hast ohne weiteres das Zeug zum Profi. Na, was sagst du?“
Daniel sagte erst einmal gar nichts.
Als das Schweigen langsam unangenehm wurde, mischte Cirstin sich ein. „Am besten ist wohl, Sie lassen uns einfach Ihre Karte mal da, und er denkt darüber nach, ja?“ bestimmte sie kurzerhand.
„Aber gern“, freute sich Goldmann. „Und er denkt auch bestimmt darüber nach?“ fragte er und deutete auf Daniel.
„Natürlich“, versprach ihm Cirstin. „Und jetzt möchten wir gern noch ein wenig feiern.“
„Selbstverständlich“, sagte der Jugendleiter. „Aber nicht zu lange. Morgen ist das Finale“, schärfte er Daniel überflüssigerweise ein und zwinkerte ihm zu. Dann machte er auf dem Absatz kehrt.
„Aber nicht zu lange“, äffte Daniel den Mann nach. „Was denkt der sich eigentlich?“
„Laß ihn doch“, besänftigte Cirstin ihn. „Der hat eben ein Auge auf seine Jungs.“
„Ja“, nickte Daniel, „und genau das ist es, was ich an Vereinen so hasse.“
Cirstin hakte sich bei ihm ein und zog ihn zum *Rock-Café*.

„Was hältst du von der Sache?" wollte Cirstin wissen, als sie endlich an einem Tisch saßen und mit zwei Strohhalmen an einem großen Cocktail tranken. „Double Up" nannte sich die farbenfrohe Mischung aus Fruchtsäften und Likör.
Einen Moment fragte sich Daniel, ob Cirstin vielleicht an das Lied *Double up in love* von der Sängerin *Heather Nova* gedacht hatte, als sie den Drink bestellte. Aber im Augenblick konnte er diesen Gedanken nicht weiter vertiefen.
„Komischer Typ", sagte er zweifelnd.
Das sah Cirstin anders. „Wieso denn? Er war doch ganz nett."
„Ich weiß nicht", wehrte Daniel ab.
„Im Grunde freust du dich doch drüber. Oder etwa nicht?"

„Kann schon sein. Aber anrufen werd ich ihn trotzdem nicht."
„Was du nur immer hast", ereiferte sich Cirstin. „Sei doch froh, daß auch die Clubs in Deutschland endlich mal ihre Scouts aussenden und nicht nur warten, bis sich die Kids bei ihnen anmelden."
„Was anderes bleibt ihnen doch gar nicht mehr übrig", widersprach Daniel. „Die Sportvereine stehen doch alle vor der Pleite, weil keiner mehr kommt."
„Das gilt aber nicht für Basketball", wußte Cirstin aus einer aktuellen Statistik. „In den letzten zehn Jahren hat Basketball mehr als 20000 Mitglieder zugelegt."
„Also, ich seh das so", fuhr Cirstin fort, als Daniel sich weiter in Schweigen hüllte. „Ich hab auch keinen Bock, in

einer muffigen Turnhalle jeden Nachmittag von vier bis sechs am Reck zu hängen. Ich will meinen Spaß haben, will mit Leuten zusammen sein, die ich mir aussuchen kann, und ich will stolz auf meinen Körper und auf meine Kraft sein. Und dazu brauch ich keinen, der mit der Stoppuhr mißt, wie schnell ich die hundert Meter laufe."
Interessiert hörte Daniel zu.
„Wenn dir das reicht – okay! Dann wirf die Karte von dem Typ weg. Aber", sie machte eine kurze Pause, „ich weiß nicht, ob dir das reicht. Und wenn du Angst hast, deine Freunde von der Straße oder deine Ideale zu verraten, dann vergiß es! Schau doch mal nach Amerika. Sicher ist Streetball dort für viele ein Lebensgefühl. Aber wie viele Streetballer aus den Ghettos spielen denn längst in der NBA?"
„Chris Mullin, Chris Webber, Latrell Sprewell . . .", zählte Daniel auf.
„Jedenfalls 'ne ganze Menge", unterbrach Cirstin ihn. „Und ihre Kumpels auf den Hinterhöfen sind stolz darauf, daß ein paar von ihnen es bis ganz nach oben geschafft haben!"
„Trotzdem", beharrte Daniel. „Kameradschaft und Zusammenhalt kannst du dann vergessen. Dort geht es doch nur noch ums Geschäft."
„Das klingt ja so, als würdest du dir selbst nicht so ganz trauen", folgerte Cirstin messerscharf.
Daniel zuckte leicht zusammen.
„Weißt du", meinte Cirstin, „wenn du oben bist und dir

trotzdem selbst treu bleibst, dann hast du es erst wirklich geschafft!"

Daniel war hingerissen von ihrer Rede, versuchte aber weiter, sich nichts anmerken zu lassen.

Als sie sich über das Cocktail-Glas beugten, um an ihren Strohhalmen zu ziehen, stießen ihre Nasen zusammen. Sie zuckten zurück, dann lächelten sie sich an.

Hand in Hand spazierten Daniel und Cirstin zur U-Bahn zurück.

Der Sonntag war mit dem richtigen Bein aufgestanden. Selbst die Sonne brauchte heute eine Sonnenbrille, und auf dem Heiligengeistfeld schwappte der Rummel fast zu einem liebenswerten Chaos über.
Thilo schleppte unverdrossen seinen gigantischen Ghetto-Blaster zu dem Court, auf dem sie das Finale spielen sollten. Die giftigen Blicke von Daniel ignorierte er. „Wartet's ab“, meinte er nur.
Ihre Gegner waren schon da und schossen Serien auf den Korb. *W.A.R.* drohte der Schriftzug auf ihren T-Shirts.
„Ganz schön kriegerisch“, bemerkte Shaq laut im Vorbeigehen.
„Ach was“, stellte Hajo, der Leader ihres Final-Gegners, klar. „Das ist bloß die Abkürzung für *Werfen auf den Ring.*“
„Wollen wir's hoffen“, murmelte Daniel.
Thilo ließ beim Aufwärmen Arme und Beine fliegen wie ein Hampelmann.
„Nervös, was?“ spottete Shaq.
Thilo sparte sich die Antwort und machte weiter mit seinen Dehnübungen. Das flaue Gefühl in seinem Magen konnte er dennoch nicht vertreiben.
„Macht nichts“, sagte Cem, der das Nervenflattern seines Mitspielers ebenfalls bemerkte. „Besser nervös als gar kein Gefühl. Wer völlig abgeklärt in ein Match geht, der leistet auch nichts Besonderes!“
Thilo nickte dankbar.
Endlich konnte es losgehen. Eine laute Fanfare rief die Zu-

schauer zum Mega-Event-Finale der 14- bis 16jährigen. Der Court-Beobachter nahm seinen Platz ein. Die beiden Teams reichten sich die Hände.
Daniel blickte noch einmal zu Cirstin, die direkt am Court stand. Sie machte eine aufmunternde Geste.
Hinter ihr entdeckte er noch ein bekanntes Gesicht. Goldmann.
Na schön, dachte er sich. Wenn du unbedingt was sehen willst – kannst du haben. Er beugte sich leicht nach vorne, umfaßte mit beiden Händen seine Oberschenkel und konzentrierte sich auf seine Gegner.
Das Finale begann.
Gleich beim ersten Angriff überrannten die *W.A.R.* die Defense der *Baskethunters* und punkteten. Hajo und seine beiden Mitspieler Trash und Olaf waren offenbar gefinkelte Streetball-Asse, die elegant übers Spielfeld tänzelten.
Daniel lief zum Check[33] und paßte Shaq an. Der versuchte ein Dribbling, überlegte aber einen Lidschlag zu lange, ob er rechts oder links an seinem Gegner vorbeiziehen sollte. Ehe er sich versah, hatte ihm Olaf den Ball abgenommen.
Ohne sich aufzurichten, spielte Olaf aufs Geratewohl einen No-Look unter den Korb. Dort stand Hajo, der Daniel mit einem schnellen Drop-Step-Move[34] aussteigen ließ und den nächsten Korb machte.
Shaq gab Thilo das Zeichen zum Wechsel und lief zur Linie.

Thilo sprintete auf den Platz. Er hatte noch keine einzige Ballberührung gehabt, da legte *W.A.R.* einen weiteren Korb nach.
„So kann das nicht weitergehen!“ rief er Daniel und Cem zu.
„Klugscheißer!“ raunzte Daniel ihn an. „Tu halt was dagegen!“
Darauf hatte Thilo gewartet. „Wie ihr wollt“, meinte er lässig und lief zu seinem Ghetto-Blaster, der hinter dem Korb neben den Sporttaschen der *Baskethunters* thronte und drückte die *On*-Taste. Gleich einem unerwarteten Donnerschlag in einer schwülen Sommernacht setzte die Musik ein. Thilo stand längst wieder auf dem Feld.
Balls to the wall, man! rumpelte es drohend aus den Boxen. *You'll get your balls to the wall.*
Von den flippigen Hip-Hop-Klängen, die über das Heiligengeistfeld flirrten, war um den Court herum nichts mehr zu hören.
„Jetzt geht's los, Jungs!“ feuerte Thilo seine beiden Mitspieler an.
Daniel machte ein Gesicht, als überlege er gerade, ob der dem Streetball in dieser Sekunde nicht besser für immer entsagen sollte.
Cem zuckte nur die Schulter und sagte mehr zu sich selbst: „Was soll's?“
Die drei *W.A.R.s* tauschten amüsierte Blicke.
Damit kamen sie Thilo gerade recht. „Hey, ihr Pfeifen“, fuhr er Hajo, Olaf und Trash an. „Warum holt ihr euch

nicht einfach euer Gratis-T-Shirt beim Veranstalter ab und trollt euch? Oder wollt ihr euch wirklich von uns demütigen lassen? Hier, vor allen Leuten?"
Thilo hatte seinen Satz kaum beendet, da bekam er von Cem den Ball zugespielt. Aufreizend langsam ließ er die Kugel vor Hajo auf- und abspringen. Als Hajo zugreifen wollte, zog er blitzschnell den Ball weg und startete durch in Richtung Korb. Verblüfft stellten sich ihm Olaf und Trash in den Weg. Daniel und Cem standen jetzt frei.
Doch Thilo wollte es selbst machen. Lässig setzte er einen Short-Jumper, einen Sprungschuß aus der Mitteldistanz, über Trash und Olaf hinweg an.
Treffer!
„Yeahh!" schrie Thilo seinen Triumph heraus. Als er an den *W.A.R.s* vorbei zu Daniel und Cem eilte, rief er ihnen zu: „Nennt mich *Air*, ihr Zombies! Los", forderte er seine Team-Kameraden auf, „her mit den Händen!"
Eher widerwillig streckten Daniel und Cem ihre Handflächen aus.
Air klatschte sie ab und sagte: „Das hier ist schließlich Streetball, falls ihr's noch nicht gemerkt habt!"
Daniel wollte etwas erwidern, aber ihre Gegner formierten sich schon zum nächsten Angriff.
Balls to the wall, man! hallte es immer wieder über den Platz.
Die *Werfer auf den Ring* waren sichtlich verwirrt.
Air fegte wie ein Derwisch um sie herum und versuchte nach Kräften, die drei aus der Fassung zu bringen. „Hey,

Mann, kauf dir erst mal Stelzen, wenn du an mir vorbeikommen willst“, rief er Hajo zu, als dieser ihn überspielen wollte, und schlug den Ball ins Aus.
Olafs Einwurf landete nicht bei Trash, sondern bei Daniel, der sich in den Paß geworfen hatte.
Thilo lachte vergnügt: „Noch so'n Hungerball, und ich schick dir ein Care-Paket“, drohte er seinem Gegner.
Die Zuschauer hatten ihren Spaß und klatschten laut Beifall.
Daniel war durchgestartet und schnippte den Ball mit einem Layer[35] in den Korb. Artig kam er auf Thilo zu und wiederholte das Auf-die-Hand-Schlagen-Ritual.
Show me the sign of victory – sign of victory! brüllte der *Accept*-Sänger vom Band.
Daniel spürte, wie ihn die Musik zu elektrisieren begann. „Wie lange läuft denn das?“ wollte er von Thilo wissen.
„Auf der ganzen Kassette ist nur das eine Lied drauf“, erklärte der. „Geil, was?“
„Jaja“, winkte Daniel ab. Aber ob er es zugeben wollte oder nicht: Die veränderte Atmosphäre hatte etwas ungemein Brodelndes. Er riskierte einen raschen Blick zu Cirstin. Sie und ihre drei *Bronx-Katzen* wippten aufgeregt hin und her und klatschten rhythmisch in die Hände.
Daniel spielte, paßte und schoß jetzt wie im Rausch. Er machte kaum Fehler und stieß auf immer weniger Gegenwehr.
Thilo hielt es tatsächlich durch, brillant zu spielen und dabei gezielten Flachsinn von sich zu geben. „Mein Gott, bin

ich gut!“ ärgerte er seinen Gegenspieler, als ihm ein blinder Traumpaß hinter dem Rücken vorbei zu Daniel gelang. „Hey!“ flachste er die *W.A.R.s* weiter an. „Ihr braucht keine Angst zu haben, das tut nicht weh, wenn man so gut spielt. Versucht's doch auch mal!“

Die *Baskethunters* hatten das Match bald fest im Griff. Daniel und Thilo spielten durch, Cem wechselte sich mit Shaq ab.

„Keep it, keep it!“ brüllten die Zuschauer, als Daniel ihren Vorsprung auf vierzehn zu sieben erhöhte.

Thilo hatte mittlerweile seine drei Gegner nicht nur mit seinem Trash-Talk, sondern auch mit seinen technischen Finessen wie zielgenauen Hook-Shoots[36] und Jap-Steps[37] regelrecht zermürbt.

Aus dem Ghetto-Blaster kam plötzlich ein Geräusch, als würde eine Abrißbirne von einem Kran gegen ein Haus gedonnert.

Als wäre das das Signal für ihn gewesen, fakte sich Thilo bis zum Korb, lief unter ihm hindurch und setzte einen spektakulären Reverse-Lay-Up[38] rückwarts ins Netz.

„Gewonnen! Gewonnen! Gewonnen!“ brüllte Thilo. Er sprang in die Luft, streckte beide Hände zum Korb aus, faßte ihn und zog sich daran hoch, bis sein Kopf sich über dem Ring befand. Dann ließ er sich einfach fallen.

Daniel fing ihn auf und preßte ihm fast die Luft aus der Lunge. „Phantastisch!“ lobte er seinen Mitspieler.

No, you can't stop them! steigerte der *Accept*-Sänger seine Stimmlage zum Finale des Lieds in ungeahnte

Höhen. *They're coming to get you! And then you'll get your balls to the wall, man!*
„Balls to the walls, man!“ stimmte Thilo lauthals in den Refrain ein und stieß die Arme in die Luft. Die Siegeshymne der *Baskethunters*!
Cem und Shaq führten zusammen einen wilden Tanz auf. Daniel wollte zu Cirstin, aber die war schon auf den Court gestürmt und fiel ihm um den Hals. Als er für einen Moment den Kopf hob, sah er Goldmann überschwenglich applaudieren.
Ohne es eigentlich zu wollen, nickte Daniel ihm zu.

10

Eine Woche war seit dem Triumph der *Baskethunters* beim Metropolitan-Turnier in Hamburg vergangen. Sieben Tage, während derer sich Daniel, Thilo, Cem und Shaq nur zum Jogging durch den Stadtwald oder im Fitneß-Studio getroffen hatten.

Was den Hoop mit der rostroten Gummikugel anging, hatte Daniel seinem Team energisch Abstinenz verordnet. Denn Trainingsalltag nach einem berauschenden Erfolg – das schmeckte so ähnlich wie ein ausgelutschter Kaugummi, den man nur noch deswegen zäh zwischen den Zähnen hin- und herschiebt, weil ein frischer gerade nicht zur Hand ist.

Daniel wußte, wovon er sprach. Solange er selbst noch Nacht für Nacht immer wieder aufs neue das Finale von Hamburg durchlebte, interessierte es ihn herzlich wenig, wie viele Korbleger er bei zehn Versuchen im Netz unterbringen konnte.

Um wieder heiß auf die Pille zu werden, hatten sie diese Pause einfach gebraucht, fand Daniel, als er endlich wieder in sein Streetball-Dress schlüpfte und sich mit dem Fahrrad zu ihrer angestammten Korbanlage aufmachte.

In raschem Tempo flogen die Häuser, die seinen Weg säumten, an ihm vorbei.
Plötzlich krampften sich seine Finger reflexartig um die beiden Bremszüge seines Rennrads.
Vor einem kastenförmigen Gebäude, das irgendeine städtische Behörde beherbergte, kam Daniel mit quietschenden Reifen zum Stehen. Mit einer Mischung aus Stolz und Verärgerung starrte er auf die Vorderfront des schmucklosen Hauses. Von dem grauen Mauerwerk stach in giftgrüner Sprühfarbe übergroß das Wort BASKETHUNTERS hervor.
Es war das erste Mal, daß Daniel den Namen seines Teams las, ohne ihn selbst geschrieben zu haben.
Shaq! durchfuhr es ihn.
Schnell radelte Daniel weiter.

Schon von weitem hörte Daniel das dumpfe Plopp-Plopp von aufprallenden Bällen. Thilo, Cem und Shaq spielten sich bereits warm.
Thilo hatte sich einen Walkman über die Ohren gezogen und schien völlig in der Musik und in seinen Drill versunken. Seine Bewegungen waren mechanisch wie die eines Roboters, wurden aber immer wieder von überraschenden Ausfallschritten durchbrochen.
„Ich wußte gar nicht, daß Michael Jackson auf Streetball umgestiegen ist", begrüßte Daniel seine Freunde und deutete auf Thilo.
„Was?" fragte Thilo und nahm den Kopfhörer ab.

„Alles klar", wehrte Daniel ab. Dann wandte er sich Shaq zu. „Und du bist wohl unter die Anstreicher gegangen, was?"
„Wieso?"
„Hast du eigentlich keine Angst. daß du mal auffliegst damit?" fragte Daniel weiter. „So blöd ist die Polizei nun auch wieder nicht. Zumal", sein Mund verzog sich zu einem Grinsen, „zumal die *Baskethunters* hoffentlich bald in aller Munde sind."
„Ach", meinte Shaq lässig, „die Jungs vom Trachtenverein kriegen mich schon nicht dran. Keine Sorge."
„Wollen wir's hoffen", murmelte Daniel.
Vor seinem geistigen Auge sah er aber bereits eine Menge Trouble heraufziehen. Farbsprühereien wurden schon seit einiger Zeit nicht mehr als Kavaliersdelikt geahndet, sondern sogar von einer eigens eingesetzten Sonderkommission verfolgt.
„Und wenn doch", phantasierte Shaq, „sagen wir einfach, das sei ein fanatischer Fan gewesen, den wir leider nicht namentlich kennen."
Daniel atmete tief ein. Geflissentlich überhörte er die innere Stimme, die ihm einzuflüstern versuchte, daß sie damit wohl kaum durchkommen würden.
Bis zum Streetball-Challenge waren es noch zwei Monate. Wie es sich für einen umsichtigen Guard gehörte, stapelte Daniel bewußt tief, was seine Einschätzung der Chancen der *Baskethunters* auf den Titelgewinn anging. Geschickt provozierte er Thilo, Cem und Shaq, indem er

sie gnadenlos immer wieder an ihre Schwächen erinnerte. „Ein Spieler, der mit sich zufrieden ist, ist ein schlechter Spieler!" schärfte er ihnen wieder und wieder ein, während er sie über den Court scheuchte.
Besonders das Rebounding seiner Mannschaft, die Eroberung eines vom Brett abprallenden Balls, wollte der Point Guard der *Baskethunters* noch verbessern. Diese Aktion entschied häufig ein Spiel, denn sie eröffnete der ballführenden Mannschaft die Möglichkeit zu weiteren Wurfversuchen – zumeist aus naher Distanz.
Wieder und wieder postierte Daniel paarweise Thilo und Cem, Cem und Shaq oder Thilo und Shaq unter dem Korb, donnerte aus einiger Entfernung die Kugel gegen das Brett und beobachtete die verbissenen Positionskämpfe seiner Team-Kameraden, um eine gute Ausgangsstellung zu erreichen und nach dem zurückprallenden Ball zu jumpen.
Am späten Nachmittag hechelten die *Baskethunters* wie nach einer Fahrrad-Etappe von Paris–Dakar.
„Ich glaub, ich bin mindestens fünf Zentimeter größer geworden", witzelte Cem, als er sich zum x-ten Mal nach der Gummikugel streckte und gleichzeitig versuchte, seinen Gegenspieler abzublocken.
Cem war auch der erste, der bemerkte, daß sie einige Zuschauer hatten an diesem Nachmittag.
Er hielt den Ball einen Moment fest und musterte scharf die sechs Typen, die in der Nähe des Courts rumlungerten und dabei die Streetballer so unauffällig beobachteten, daß es auffallen mußte.

„Was ist?“ fragte Daniel, dessen Augen Cems Blicken gefolgt waren.

„Wie Fans sehen die nicht gerade aus“, meinte Cem. Auch aus der Entfernung konnte er erkennen, daß die Gestalten Armeehosen, Bomberjacken und Springerstiefel trugen.

„Das sind Skinheads“, stellte er leicht beunruhigt fest.

„Na und? Laß sie doch!“ drängelte Thilo, der nicht einsah, daß sie deswegen das Training unterbrechen sollten. „Mann, so 'ne Glatze lasse ich mir auch schneiden“, spottete er, „dann brauche ich keine Haare mehr zu waschen.“

„Ja“, entgegnete Daniel, „aber dafür um so mehr Gesicht.“

Er verstand Cems Unbehagen. Nicht wenige seiner türkischen Freunde hatten schon unliebsame Bekanntschaft mit den Skins gemacht.

„Wir sind ja bei dir“, beruhigte er seinen Team-Gefährten. „Machen wir einfach ganz normal weiter.“

Die *Baskethunters* begannen einen lockeren Hoop. Daniel und Cem spielten gegen Thilo und Shaq, wobei sie ständig von der Raum- in die Manndeckung wechselten. Ebenfalls ein effektives Training, wie Daniel fand.

Als der Point Guard der *Baskethunters* eine Lücke im Korbbereich ausmachte, paßte er druckvoll zu Cem. Doch der hatte sich bereits einen Schritt zu weit nach vorne bewegt, und Daniels Anspiel schnitt ins Leere. Einwurf für Thilo und Shaq.

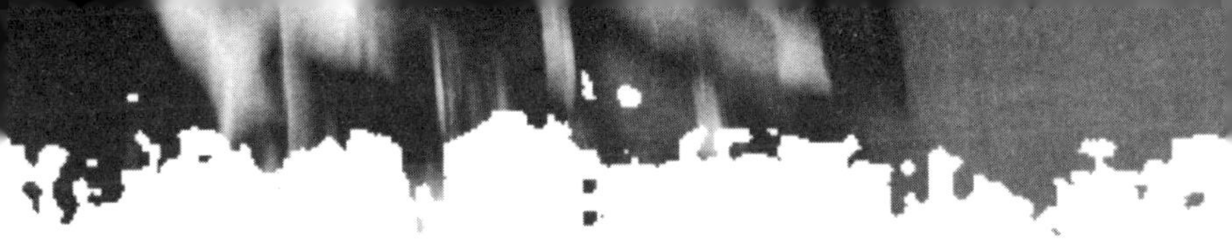

Shaq eilte dem Ball hinterher, der ins Aus geflogen war und nun über den Boden kullerte. Er holte die Kugel ein und ging in die Knie, um sie aufzunehmen. Gerade als er seine Hand danach ausstreckte, stellte sich plötzlich ein Fuß auf den Ball. Der Fuß steckte in einem schwarzen, klobigen Stiefel.
Überrascht schaute Shaq hoch und sah in das Gesicht eines der Skinheads.
„Danke fürs Stoppen“, versuchte er die Situation elegant zu entkrampfen. „Kann ich den Ball jetzt haben?“
Sein Gegenüber grinste nur. Die fünf Kumpanen rückten geschlossen auf.
Unschlüssig drehte sich Shaq zu seinem Team um.
Daniel, Cem und Thilo hatten den Vorgang verfolgt und eilten herbei.
„Probleme?“ wollte Daniel von Shaq wissen. Seine Augen gaben den sechs Skinheads zu verstehen, daß die Frage eigentlich an sie gerichtet war.
Deren Anführer stand immer noch mit dem Fuß auf dem Ball und grinste herausfordernd. Sein Gesicht war mit Pickeln übersät und sah aus wie eine Mondlandschaft. Daniel schätzte ihn auf höchstens achtzehn.
„Probleme?“ äffte der grobschlächtige Junge Daniel nach und wandte sich beifallheischend an seine Kumpanen. „Ob wir Probleme haben, will er wissen. Habt ihr das gehört?“
Die sechs Skins brachen in ein meckerndes Lachen aus.
Daniel drehte sich verstohlen um und überblickte schnell

die Anlage. Niemand außer ihnen war mehr auf den Courts zu sehen. Auch das noch.

„Ja“, stieß sein Gegenüber durch die Zähne hervor, „wir haben tatsächlich ein Problem. Und weißt du auch, welches?“

Genervt verdrehte Daniel die Augen. „Nein, aber du wirst es mir sicher gleich sagen“, entgegnete er bewußt gleichgültig.

„Dieses Rumgehopse macht uns ganz krank“, fuhr der Skin fort. „Wie die Affen im Zoo.“

„Ist ja auch kein Wunder“, mischte sich einer seiner Kameraden ein. „Dieser Mist kommt ja auch von den Affen. Von den Niggern.“ Er lachte wie über einen besonders gelungenen Scherz.

Thilos Adrenalinspiegel schnellte in die Höhe wie ein Fieberthermometer, das in die offene Flamme einer Kerze gehalten wird. „Hey, Mann!“ rief er gereizt. „Was ist denn bei euch falsch gepolt? Streetball kommt aus den Schwarzen-Ghettos in Amerika, das stimmt. Aber selbst dort herrscht wohl weniger Chaos als in eurem Hirn!“

Die Gesichtszüge des Skins versteinerten. Er ballte die Fäuste und machte einen Schritt auf Thilo zu.

Sofort stellten sich Daniel, Cem und Shaq zwischen die beiden.

„Hört zu, Jungs“, ergriff Daniel die Initiative. „Gebt uns unseren Ball, laßt uns in Ruhe weiterspielen, und keinem hängt anschließend der Kiefer tiefer, ja?“

In einem Anflug von Imponiergehabe drückte er dabei sei-

nen bodygebuildeten Brustkorb heraus. Nur um zu zeigen, daß auch sie nicht von der Heilsarmee waren.
Der Anführer der Skins schaute böse und schien zu überlegen. Dann deutete er auf Cem und sagte: „Er soll den Ball aufheben!“
Cem zuckte zusammen.
„Was soll das?“ zischte Daniel.
„Alle Türken stinken“, blubberte der Glatzkopf.
„Wieso?“ mischte sich wieder Thilo ein. „Rauchen die etwa die gleichen Miefstengel wie ihr?“ Er machte eine Kopfbewegung zu einem der sechs Skinheads, der mit gespielter Coolness auf einer selbstgedrehten Zigarette herumbiß.
Cem wurde die Sache zu blöd. Er trat vor und wollte sich nach dem Ball bücken, den der Skin immer noch mit seinem Fuß in Beschlag hielt.
Mit einem energischen Griff hielt Daniel ihn zurück. „Kommt nicht in Frage!“
Daniel setzte sein Sonntagslächeln auf und sah die sechs Typen in den Bomberjacken offen an. „Warum habt ihr nicht gleich gesagt, daß ihr auch gern mal Basketball spielen wollt?“
Cem, Thilo und Shaq schauten ihren Guard verständnislos an.
„Wenn das so ist“, fuhr Daniel fort, „lassen wir euch den Ball natürlich gern da. Wenn ihr fertig seid, laßt ihn einfach liegen. Wir finden ihn morgen schon.“ Dann machte er auf dem Absatz kehrt und ließ die verblüfften Skins einfach stehen.

„Was ist denn mit dir los?" fragte Shaq ihn, als sie zum Court zurückgingen. Bewundernd und zugleich verwirrt.

„Ich hab keinen Bock auf 'ne Schlägerei", erklärte Daniel. „Ich brauch meine Hände fürs Streetball-Finale. Von mir aus sollen sie die Pille eben behalten. Die gibt's im Moment für zehn Peanuts im Sonderangebot."

Sie hatten das Spielfeld noch nicht ganz erreicht, da hoppelte der Ball mit einiger Geschwindigkeit an ihnen vorbei. Offenbar hatte ihm der Skin einen kräftigen Fußtritt in ihre Richtung verpaßt.

Als sie sich umdrehten, sahen sie, wie die sechs Typen sich trollten.

„Na also", meinte Daniel und sprintete dem Ball hinterher.

„Abwarten", argwöhnte Cem. „Die Sache ist noch nicht ausgestanden."

Auch Daniel fühlte sich unbehaglicher, als er sich anmerken ließ. Zu allem Überfluß mußte er Thilo, Cem und Shaq in den nächsten Tagen allein trainieren lassen. Er hatte etwas zu erledigen.

„Wohin fährst du eigentlich?" wollte Cem wissen, als Daniel sich von ihnen verabschiedete.

„Meine Tante besuchen", sagte Daniel nur.

„So kurz vor den Ferien?" wunderte sich Cem.

„Es ist ihre Beerdigung", verbesserte sich Daniel, ohne eine Miene zu verziehen.

„Weißt du was?" stellte Cem klar. „Ich glaub dir kein Wort."

11

Daniel haßte es, seine Freunde anzulügen. Er wußte selbst nicht genau, warum er ihnen nichts von Goldmanns Angebot zu einem Probe-Training mit der A-Jugend des Basketball-Bundesligavereins erzählt hatte.
Er verstaute seine Sporttasche im Gepäcknetz des ICE, der ihn nach Süddeutschland bringen sollte.
Vielleicht, sagte er sich, war es reiner Selbstschutz: Je weniger Leute davon wußten, um so weniger Leuten würde er erzählen müssen, falls es in die Hose gehen sollte.
Außerdem: um zu Höchstleistungen aufzulaufen – sei es im Sport oder in der Schule – brauchte er das Gefühl, sich ganz freiwillig der Herausforderung zu stellen, eine Wahl zu haben. Als er im letzten Schuljahr kurz vor dem Jahreszeugnis auf der Kippe gestanden hatte, meldete er sich kurz vor den entscheidenden Klassenarbeiten schon auf einer anderen Schule an, falls er die Versetzung tatsächlich nicht schaffen sollte. Mit diesem Wissen im Hinterkopf hatte er die nötigen Punkte schließlich locker eingefahren.
Das hatte nichts mit Feigheit oder mangelnder Belastbarkeit zu tun. Daniel hielt sich sogar für ziemlich belastbar. Er wußte aber aus Erfahrung, daß Druck nur selten wirklich anspornt, dafür aber um so häufiger im entscheidenden Augenblick Geist und Körper lähmt.
Viel machte er sich nicht aus Fußball, aber ein Satz, den er in der Autobiographie von Franz Beckenbauer gelesen hatte, hatte ihn nachhaltig beeindruckt: „Ihr könnt Welt-

meister werden", sollte der Kicker-Kaiser der deutschen Nationalmannschaft während der Weltmeisterschaft 1990 immer wieder eingeschärft haben, „ihr müßt es aber nicht."

Vielleicht, überlegte Daniel, war das der Punkt gewesen, weshalb Deutschland den Nervenkrieg des Elfmeterschießens im Halbfinale gegen England gewonnen hatte.

Er machte es sich in dem Abteil, das er für sich allein hatte, bequem, kramte eine Sportzeitschrift heraus, die er am Bahnhof gekauft hatte, und schlug die Seiten mit den Basketball-Berichten auf.

Interessiert las er eine Reportage über das sogenannte *College Draft* in den USA. Jedes Jahr im Sommer, nach dem Ende der Meisterschaft, kamen alle NBA-Vereine zusammen, um die besten Nachwuchsspieler des Landes nach einem festgelegten System auf die Teams zu verteilen. Das ganze Jahr über beobachteten Talentspäher der Profi-Liga auf den Basketballplätzen der High Schools und Universitäten die Akteure. Eine Juniorenmeisterschaft, wie sie in Deutschland üblich ist, gab es in den Staaten nicht, wo die Hochschulen den Sport-Nachwuchs heranbilden. Jeder Spieler, der möglicherweise in der NBA mithalten konnte, wurde mit all seinen Stärken und Schwächen registriert. Diese Auflistung stellte das NBA-Büro jedem seiner Clubs zur Verfügung, die sich auf dieser Grundlage ihre Wunschkandidaten ausgucken konnten.

Um zu verhindern, daß die großen und finanzstärksten Clubs die besten Talente einfach wegkauften, entwickelten

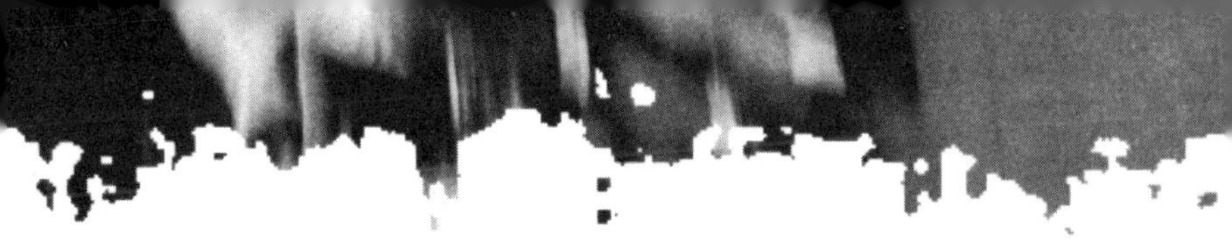

die Verantwortlichen ein Verfahren, das auch schwächeren Clubs die Chance bot, sich mit guten Nachwuchsspielern zu versorgen. Nach einem bestimmten System wurde die Reihenfolge der NBA-Teams, die sich für Spieler aus dem *College Draft* interessierten, ausgelost. Wer zuerst kam, wählte zuerst. Auf diese Weise hatte sich *Orlando Magic*, die 1992 und 1993 das Erstwahlrecht gewannen, Shaquille O'Neal und Penny Hardawy gesichert und so ihren Aufstieg zu einer Spitzenmannschaft eingeleitet.
Aber nur wer sein Talent eindrucksvoll zur Geltung bringt und über Durchsetzungsvermögen verfügt, erhält letztendlich einen festen Vertrag und kann damit vielleicht später einmal Ruhm und Ehre, Geld und Ansehen genießen, endete der Artikel.
Daniel ließ die Zeitschrift sinken und sah gedankenverloren aus dem Fenster. Der Zug rollte gerade gemächlich durch eine kleine Stadt. In einer Hofeinfahrt sah er einen kleinen Jungen, der mit sichtlicher Begeisterung einen Basketball in einen Korb zu befördern versuchte, der über dem Garagentor angebracht war.
„Ruhm und Ehre", murmelte Daniel abfällig. „Blödsinn."
Am liebsten wäre er ausgestiegen und hätte mit dem kleinen Jungen um die Wette gedribbelt.
Er vertiefte sich wieder in seine Zeitschrift. Lange musterte er die Fotos der neuen Talente, die in der kommenden Saison in der US-Profi-Liga stürmen würden. *Millionen Kids träumen davon, so zu sein wie sie*, las er.
Und ich? fragte sich Daniel unwillkürlich. Hatte er vielleicht

einfach nur Angst davor, seine Träume an der harten Realität zu messen? Sich dabei möglicherweise die eigene Einschätzung von anderen unsanft kaputtmachen zu lassen? Wie oft hatte er sich dabei ertappt, daß er sich beim Straßen-Zock mit der Gummikugel ein großes Publikum vorstellte, daß die Gegenspieler in seiner Phantasie plötzlich die Gesichtszüge von Henning Hernisch oder Chris Welp vom deutschen Basketballmeister *Bayer Leverkusen* annahmen.

In meinem Film bin ich der Star, ich komm auch nur alleine klar, kam ihm plötzlich ein Song-Text der NDW-Gruppe *Ideal* in den Sinn.

Genauso war es!

Aber hatte er den Mut, sich den echten Harnischs und Welps zu stellen? Auch auf die Gefahr hin, sich eventuell von ihnen entzaubern lassen zu müssen?

Es gab nur einen Weg, das herauszufinden.

Goldmann holte Daniel vom Bahnsteig ab und begrüßte ihn herzlich. Bis zum Nachmittagstraining der A-Jugend waren noch mehr als zwei Stunden Zeit.

„Gehen wie vorher 'ne Pizza essen?" schlug der Jugendleiter vor.

Daniel nickte.

Goldmann fuhr mit seinem Gast in ein kleines italienisches Lokal.

Während der Fahrt starrte Daniel angestrengt aus dem Fenster und tat so, als würde er sich enorm für inner-

städtische Architektur interessieren, um nicht reden zu müssen.
Der Jugendleiter schien so seine Erfahrungen mit eigenwilligen Spielern zu haben und plauderte einfach drauflos, ohne Daniel irgendwelche Antworten abzunötigen.
„Tolles Spiel habt ihr in Hamburg im Finale, gemacht“, sagte er anerkennend. „Dieser kleine Wirbelwind, der mit dem riesigen Kassettenrecorder . . .“ Er meinte offenbar Thilo. „In dem steckt auch ein Großer. Ich habe mir vorgenommen, ihn im Auge zu behalten. Wenn der noch ein bißchen wächst . . .“
Er brach ab und sah Daniel von der Seite an. „Na ja, wenn du bald bei uns spielst, haben wir ja sowieso die besten Verbindungen zu ihm, nicht wahr? Wie heißt er eigentlich?“
„Thilo“, sagte Daniel und stellte sich vor, mit welcher Begeisterung der jetzt wohl an seiner Stelle sitzen würde. Wahrscheinlich hätte Goldmann schon mehrere Unfälle gebaut, weil Thilo ihn schwindelig geredet hätte.
Was soll's, das ist eben der Unterschied zwischen uns beiden, dachte er.
Trotzdem mußte er bei dem Gedanken an seinen Team-Kameraden lächeln. Die Melodie von Thilos Hymne *Balls to the wall* ging ihm durch den Kopf. Daniel summte ein paar Takte des Lieds vor sich hin und sang in Gedanken den Text mit. Danach fühlte er sich ein wenig besser.

„Toll, was Marco Baldi als Manager in Berlin aus dem

alten *BG Charlottenburg* gemacht hat, was?" sagte Goldmann, als sie beim Mittagessen saßen. „Hast du nie daran gedacht, mal bei ALBA reinzuschnuppern? Gerade jetzt, wo sie den Korac-Cup gewonnen haben und sich langsam an die Spitze vortasten?"

Daniel kämpfte mit einem großen Stück Pizza und schüttelte stumm er den Kopf.

„Hm", machte der Jugendleiter verwundert. „Hast du immer nur auf der Straße gespielt?"

„Wieso nur? Ohne die Streetballer wäre die NBA in Amerika doch schon seit Jahren am Ende." Daniel wußte, daß er übertrieb, aber zu seiner Überraschung nahm Goldmann den eher ungezielt geworfenen Ball auf.

„Einverstanden", stimmte er zu – ein Wort, daß Daniel haßte. „Basketball war in Amerika noch vor nicht allzu langer Zeit tatsächlich eine eher langsame, statische und damit mehr oder weniger langweilige Angelegenheit", führte Goldmann umständlich aus. „Und das änderte sich erst, als die Clubs die ersten schwarzen Spieler von der Straße unter Vertrag nahmen."

Daniel musterte sein Gegenüber verstohlen. Egal ob der Jugendleiter das nur erzählte, um ihn zu beeindrucken, oder ob er es aufrichtig meinte: über Fachwissen verfügte er jedenfalls.

„Aber", fuhr Goldmann fort, und Daniel dachte: Bei Menschen wie ihm gab es wohl immer ein Aber. „Aber wie sieht es denn heute aus? Soweit ich weiß, schafft von 2000 basketballspielenden Kids am Ende nur noch ein

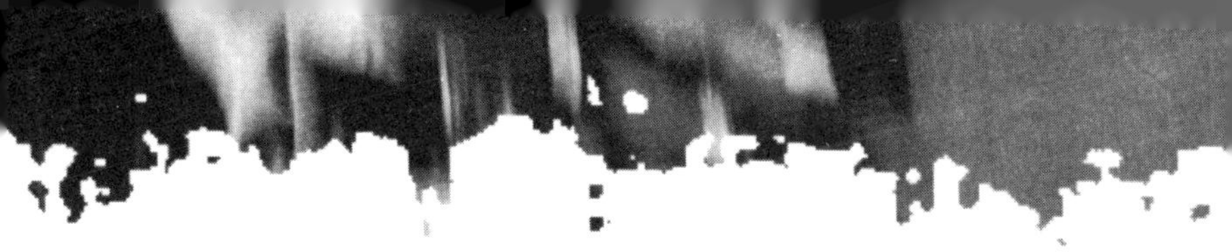

einziger den Sprung in die Profi-Liga. Die anderen jagen lieber dem vermeintlich schnellen Geld hinterher. Spielen um Dollars oder wetten, daß sie 50 Rückwärts-Dunks hintereinander schaffen. Das geht vielleicht zwei, drei Jahre gut. Und dann?" Er schaute Daniel fragend an.
Als Daniel schwieg, gab Goldmann sich die Antwort selbst: „Dann geraten sie auf die schiefe Bahn. Siehe Earl Manigault."
Daniel kannte die Geschichte natürlich. Earl Manigault, auch *The Goat – die Ziege* genannt, war der unangefochtene Star der Streetball-Szene im New Yorker Stadtteil Harlem gewesen. Sogar einen Platz an der Ecke 98ste Straße und Amsterdam Avenue hatten sie nach ihm benannt. Doch obwohl mit einem göttergleichen Talent gesegnet, kam Manigault mit den Anforderungen und dem Leistungsdruck einer Profi-Mannschaft nicht zurecht. Nach mehreren Versuchen, in der Liga Fuß zu fassen, fand er sich am Ende auf der Straße wieder. Um an Geld zu kommen, stieg er ins Drogengeschäft ein – der Anfang vom Ende. Nach einigen Jahren Knast lebte er heute in einer kleinen Stadt in South Carolina. „Ich gehöre eben zu denen, die auf der Strecke blieben", hatte er einmal gleichmütig in einem Interview bekannt.
Nur um irgend etwas dagegenzuhalten, sagte Daniel: „Aber wenn er ab und zu in Harlem zu Besuch ist, spielt das ganze Viertel immer noch verrückt."
„Einverstanden", hakte Goldmann sofort ein.

Wieder dieses Wort, dachte Daniel und zuckte leicht zusammen.
„Manigault ist für viele immer noch ein Held. Aber was hat er denn davon?"
„Man muß doch nicht von allem, was man tut, etwas haben", protestierte Daniel.
Goldmann legte seine Stirn in nachdenkliche Falten. „Vermutlich nicht", sinnierte er. „Sonst dürfte ich das ja auch alles gar nicht machen. Das mit den Jungs, meine ich."
Anscheinend wartete er darauf, daß Daniel ihm einen anerkennenden Satz spendierte. Genausogut hätte er Heino bitten können, sich als Sänger bei den *Toten Hosen* zu bewerben.

Aber so schnell gab der Jugendleiter nicht auf. „Weißt du, es ist gar nicht so leicht heutzutage, die Kids bei Laune zu halten. Vereine sind ja mega-out, oder wie das heißt."
„Wundert Sie das?" fragte Daniel provozierend.
Goldmann lehnte sich zurück und starrte einen Moment ins Leere. „Vor ein paar Wochen stand ich an einer Haltestelle und wartete auf den Bus. Auf der anderen Straßenseite war ein öffentlicher Court. Zwei Jungs spielten dort Basketball. Ich glaube, die verbrachten dort Stunden, ohne ins Schwitzen zu kommen. Einer schnappte sich immer mal wieder den Ball und begann zu dunken oder zu werfen. Und der andere stellte sich ihm in den Weg oder schaute einfach nur zu. Zwi-

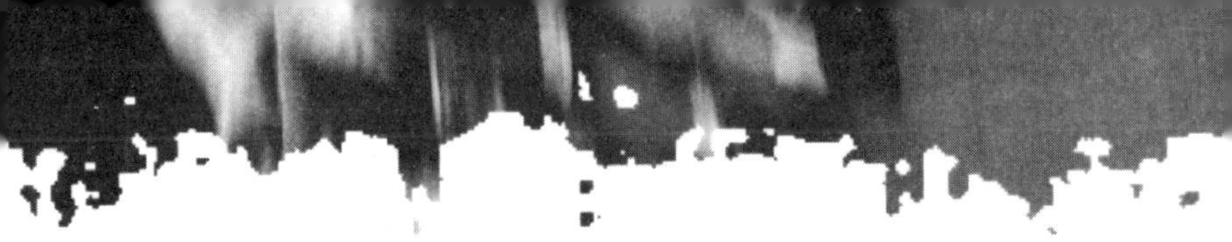

schendurch verglichen sie wohl ihre Turnschuhe miteinander. Zuerst wollte ich rübergehen und mal fragen, wer gewonnen hat. Aber das war sicher gar nicht der Sinn der Übung. Ich glaube, die hätten meine Frage gar nicht verstanden."

„Na und?" meinte Daniel nur. Er verstand nicht, worauf der Jugendleiter eigentlich hinauswollte.

„Tja", kam Goldmann langsam zum Schluß, „auf diese Mentalität müssen sich die Vereine wohl langfristig einstellen."

„Was dem deutschen Basketball-Bund anscheinend ganz gut gelingt", stichelte Daniel. „Im Streetball hängt er jedenfalls ganz schön dicke mit drin."

„Aber die Sportartikelkonzerne engagieren sich aus reiner Menschenfreundlichkeit, oder was?" unterbrach ihn Goldmann sofort. „Denen geht es doch auch nur ums Geld. Oder etwa nicht?"

„Keine Frage", gab Daniel zu. „Ich sag ja auch nur, daß es vielen eben wichtig ist, Sport nach Lust und Laune ausüben zu können, ohne an Trainingszeiten, Leistungszwang und Regeln gebunden zu sein. Wenn die Vereine weiterhin massiv versuchen, das aufzusaugen, suchen sich die meisten Streetballer garantiert wieder was anderes. Glaub ich jedenfalls. Das ist wie in der Musik. Sobald die großen Plattenfirmen einen Trend vereinnahmen, kann man ihn sofort vergessen."

Goldmanns Pizza war mittlerweile kalt geworden. „Du hast ja recht", meinte er versöhnlich und schob seinen

Teller zur Seite. „Wir sollten den Jugendlichen Angebote machen, sie aber zu nichts zwingen."
Jetzt redet der schon wieder so geschwollen daher, dachte Daniel. Aber so verkehrt schien der Mann eigentlich gar nicht zu sein.

Wenig später fuhr Goldmann mit Daniel an der Sporthalle des Vereins vor.
Abschätzige Blicke musterten den Streetballer aus Berlin, als er sich aus dem Wagen schälte. Goldmann eilte an den wartenden Jungs vorbei und schloß die Eingangstür auf.
„Wir sehen uns", rief er Daniel zu und verschwand in der Halle.
Daniel trottete mit den anderen Spielern zur Umkleide.
„Ich bin Steffen", baute sich ein großgewachsener, kräftig wirkender Junge vor ihm auf, als er seine Tasche auf die schmale Holzbank in der Kabine abstellte.
Na und? fragten ihn Daniels Augen.
„Goldmann meint, daß du unser neues Sex-Symbol werden könntest. Von welchem Verein kommst du eigentlich?"
„Ich spiel nicht im Verein", erklärte Daniel widerwillig und stieg in sein Streetball-Dress. „Goldmann hat mich bei einem Streetball-Turnier in Hamburg gesehen."
„Ach herrje, ein Zocker!" stöhnte Steffen. Er grinste und wechselte einen amüsierten Blick mit seinen Kameraden.
„Genau", sagte Daniel lakonisch und schnürte seine Basketball-Stiefel.

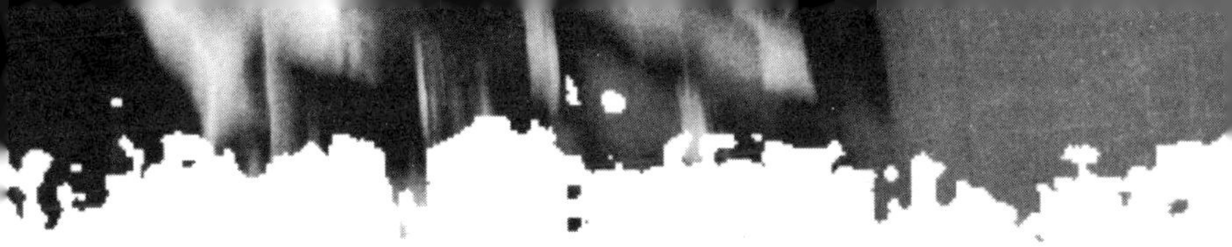

Steffen machte eine ausladende Geste. „Eigentlich brauchen wir niemanden mehr. Wir sind nämlich schon top. Oder, Jungs?“

Zustimmendes Gelächter erfüllte die Kabine. Die A-Jugendspieler bildeten einen Kreis und begannen nach einem festgelegten Ritus, sich gegenseitig auf die ausgestreckten Hände zu klatschen. Dann verhakten sie ihre Mittelfinger ineinander und zogen mehrmals kräftig, so daß ihre Arme hin- und herschwangen wie die Säge eines kanadischen Holzfällers.

Daniel hatte schon einfallsreichere Rituale gesehen. Er drehte sich zur Seite, als ginge ihn das alles nichts an. Genaugenommen stimmte das ja auch.

Ohne ein weiteres Wort stürmten die Spieler aus der Kabine und liefen in die Halle.

Daniel ließ sich Zeit. Umständlich band er seine Schnürsenkel zu und atmete noch einmal tief durch. Dann hielt er sich selbst eine Rede.

„Daniel, laß dich bloß nicht hängen“, murmelte er vor sich hin. „Wenn du über all das hier noch einen Moment länger nachgrübelst, brauchst du da erst gar nicht rauszugehen. Gut, du bist Hunderte Kilometer von deinem Court weg, sollst hier zusammen mit lauter karrieregeilen Klugscheißern spielen. Aber du hast es ja so gewollt.“

Er mußte plötzlich lachen. Das Hand- und Fingerritual der Jugendspieler fiel ihm ein.

„Vielleicht bin ich ja aus Versehen beim deutschen Meister im Fingerhakeln gelandet“, amüsierte er sich.

Er richtete sich auf.
„Also gut. Balls to the wall! Immer mit den Eiern gegen die Wand! Mal sehen, wer von uns die Wand ist. Die oder ich."
Dann schlenderte er gemächlich zu den anderen.

Goldmanns A-Jugend setzte sich durchweg aus großen, athletischen Jungs zusammen, die eine fast schon überhebliche Selbstsicherheit ausstrahlten. Die meisten von ihnen machten sich berechtigte Hoffnungen, eines Tages in den Bundesliga-Kader des Vereins aufzurücken.
„Ich nehme an, ihr habt euch schon miteinander bekannt gemacht", sagte Goldmann, als Daniel sich in den Halbkreis einreihte, den die Spieler um ihren Trainer gebildet hatten.
Sein Nebenmann schien ihm nur widerwillig Platz zu machen. Aber vielleicht reagierte er auch einfach nur zu empfindlich.
„Daniel wird ganz normal mit uns trainieren. Alles klar?"
Die Spieler nickten.
Ein Probe-Training, das wußte Goldmann, war im Grunde eine ekelhafte Sache. Man mußte sich in ein fremdes Team einfügen, ungewohnte Übungen absolvieren, sein Bestes zeigen und sich zugleich der Beobachtung durch andere stellen. Andererseits war das der Moment, wo sich in der Regel die Spreu vom Weizen trennte.
Der Jugendleiter ließ es locker angehen. Er fischte aus ei-

nem großen Netz ein Dutzend Basketbälle und warf sie seinen Jungs der Reihe nach zu.
„Warmdribbeln!“ ordnete er an, schaute auf seine Armbanduhr, führte eine Trillerpfeife zum Mund und ließ einen durchdringenden Pfiff ertönen.
Sofort erfüllte das dumpfe Geräusch aufprallender Bälle die Halle. Die Spieler schwärmten aus und verteilten sich weitläufig, den Ball eng am Körper führend.
Daniel war klar, daß Goldmann nur Augen für ihn haben würde, und beschloß, dem Jugendleiter sein ganzes Repertoire zu zeigen.
Ohne auch nur einmal auf den Ball zu gucken, den Blick stets auf das Spielfeld und auf die anderen Spieler gerichtet, dribbelte Daniel abwechselnd hoch und tief. Wie ein Jo-Jo an einer Schnur sprang die Kugel immer wieder in seine Hand zurück. Dann übergab er geschickt von der rechten in die linke Hand und durchmaß so ein paarmal die Halle. Hin und wieder beförderte er die Gummikugel schräg durch die Beine, ohne dabei langsamer zu werden oder gar das Gleichgewicht zu verlieren.
Er bemerkte, daß Goldmann zufrieden lächelte.
Just in diesem Augenblick sprang ihm der Ball plötzlich weg.
Steffen war neben ihm aufgetaucht und hatte im Vorbeilaufen wie zufällig seinen Fuß zwischen Daniels Ball und den Hallenboden gebracht. Vom Basketball-Stiefel des Kapitäns der A-Jugendmannschaft prallte die Kugel ins Aus.

„Sorry!" rief Steffen und lief ungerührt weiter.
Eine Sekunde stand Daniel unschlüssig da, dann rannte er seinem Ball hinterher und nahm ihn wieder auf. Aus den Augenwinkeln heraus sah er, daß Goldmann die Stirn runzelte. War es möglich, daß der Trainer die unfaire Aktion seines Spielers gar nicht bemerkt hatte? Anscheinend.
In den nächsten Minuten konzentrierte sich Daniel nur darauf, den anderen nicht zu nahe zu kommen. An spektakuläre Aktionen war nicht mehr zu denken. Er war sicher, daß Steffen und seine Kameraden dies zu verhindern wußten, und bewegte sich nur noch innerhalb eines eng umgrenzten, imaginären Rechtecks.
Endlich pfiff Goldmann ab.

Schwitzend und keuchend versammelte sich die Mannschaft wieder um ihren Trainer.
Goldmann bestimmte vier Mann, die im Geräteraum verschiedene Kästen, Kegel und Medizinbälle holen sollten. Die anderen durften sich ausruhen.
Nach einer Viertelstunde stand eine Art Hindernis-Parcours.
Goldmann schnappte sich einen Ball und machte die Übung vor.
Es galt, mit der Kugel an der Hand über Kästen zu springen und verschiedene Gegenstände zu umdribbeln, ohne diese zu berühren. Als Höhepunkt der Übung mußten sich die Spieler, ohne den Ball zu verlieren, unter einem Seil hindurchwinden, das in fünfzig Zentimeter Höhe zwi-

schen zwei Pfosten gespannt war, die normalerweise die Reckstange trugen.
„Wir sind doch nicht die *Gumbay Dance Band*", protestierte Steffen. In einem Video der karibischen Sanges-Truppe hatte er einmal gesehen, wie der Sänger mit zwei Fackeln in der rechten und in der linken Hand rhythmisch unter einer Stange hindurch tänzelte, die von seinen Kollegen gehalten wurde.
„Gott sei Dank!" rief Goldmann aus. „Ich würde lieber einen Uhu zum Singen anheuern als dich. Aber ihr sollt ja auch nicht Singen lernen hier, sondern Basketball-Spielen."
„Das können wir doch schon", maulte Steffen.
„Abwarten", meinte der Trainer und warf seinem Kapitän den Ball zu. „Na, auf geht's!"
Goldmann nahm eine Stoppuhr, sagte „Los!" und drückte das Zählwerk.
Steffen stürmte los.
Er dribbelte zügig bis zu dem rund ein Meter fünfzig hohen Kasten, der quer den Weg versperrte, prellte den Ball mit voller Wucht auf den Boden, so daß die Gummikugel hoch in die Luft zurückfederte. Mit einem mächtigen Satz sprang er aus dem Stand auf den Kasten, wirbelte herum und konnte gerade noch die Pille auffangen, die zurück zur Erde fiel. Lässig sprang er auf der anderen Seite wieder herunter und setzte den Parcours fort. Schnell trieb er den Ball zwischen den aufgestellten Kegeln hindurch. Auch die Medizinbälle und die übrigen Hindernisse überwand er sicher.

Als er bei dem Seil angelangt war, legte er sich der Länge nach auf den Boden und versuchte, den Ball extrem kurz zu dribbeln, ohne ihn so langsam werden zu lassen, daß er liegenblieb. Wie eine Schlange bei der Häutung wand er sich, mit dem Gesicht nach oben, unter dem Seil hindurch.

Fast hatte er es geschafft, als der Ball nicht mehr in seine Hand zurücksprang, sondern langsam von ihm weg kullerte. Er zerbiß einen wüsten Fluch zwischen den Zähnen und stand auf.

„Die Zeit war nicht schlecht", tröstete ihn Goldmann. „Und weiter!"

Der nächste Spieler raste derart ungestüm über den Parcours, daß er sämtliche Kegel wie mit einem Rasenmäher hinwegfegte.

Daniel hatte sich als letzter in die Schlange eingereiht. Dann aber überlegte er, daß er eigentlich keine Lust hatte, ganz am Schluß über die Hindernis-Bahn zu dribbeln. Den letzten Teilnehmer prägten sich schließlich normalerweise alle Beteiligten am besten ein.

Er drängelte sich fast unmerklich nach vorne. Und die anderen machten keine Anstalten, ihn zurückzuschicken. Offenbar konnten sie es durchaus erwarten, bei dieser Übung ihre Geschicklichkeit unter Beweis zu stellen.

Goldmann pfiff, und Daniel lief los. Mühelos überwand er den Kasten. Ohne Hast dribbelte er an den Kegeln und Medizinbällen vorbei. Auch die übrigen Teile des Parcours meisterte er sicher. Dann kam das Seil.

Daniel hatte Steffen genau zugesehen und überlegt, ob es einen Dreh gab, drunter hindurchzukommen. Er hatte keinen gefunden. Also schaltete er seinen Kopf ab und verließ sich ganz auf seinen Instinkt.

Mit gleichmäßigen Bewegungen robbte er mit dem Rücken über den Hallenboden. Seine gespreizten Finger drückten den Ball trotz der enormen Anstrengung unablässig kräftig auf den Boden. Die Kugel schien an seiner Hand zu kleben wie ein Stück Eisen an einem Magneten.

Mit widerwilliger Bewunderung schauten die A-Jugendspieler ihm zu.

Als sich das Seil über seiner Hüfte befand, richtete Daniel vorsichtig den Oberkörper auf, zog leicht die Beine an und stieß sich mit den Füßen vom Boden ab, bis er seine gesamte Länge auf der anderen Seite des Hindernisses hatte. Sofort sprang er auf und dribbelte den Ball durchs Ziel.

„Bestzeit!" rief Goldmann ihm zu.

Daniel nickte nur. In seinen Schläfen pochte das Blut, und ein leichtes Schwindelgefühl durchrieselte ihn. Die Übung forderte scheint's vor allem den Gleichgewichtssinn und die Fähigkeit des Körpers, verschiedene Bewegungsabläufe zu koordinieren. Auch mal was anderes, dachte er und setzte sich auf den Boden.

Sie trainierten noch Korbleger, Freiwürfe und verschiedene taktische Varianten. Daniel nahm sich vor, diese mit Thilo, Cem und Shaq zu diskutieren und sie auf ihren Nutzen hin zu testen.

Durch sein gutes Abschneiden beim Hindernis-Parcours leicht euphorisch gestimmt, hielt er auch hier problemlos mit. Hin und wieder schlug Goldmann ihm anerkennend auf die Schulter. Die anderen Spieler behandelten ihn mit einer Art gleichmütigem Respekt.

„Okay!“ beendete der Trainer schließlich die Übungen.

Wie üblich stand am Ende eines jeden Trainings noch ein lockeres Spiel.

Goldmann stellte zwei etwa gleichstarke Mannschaften auf und bestimmte Steffen und Daniel zu den Spielführern.

Daniel hatte keine Ahnung, was Goldmann sich dabei dachte. Aber ihm war sofort klar, daß es ein Fehler gewesen war.

Als er Steffen beim Anwurf im Mittelkreis gegenüberstand, rempelte der ihn mit kaum verhohlener Agressivität an und versuchte ihn abzudrängen.

Halbherzig hielt Daniel dagegen.

In Steffens Gesicht zuckte wild die Übellaunigkeit. In seinen Augen konnte Daniel die Drohung lesen. Unbehaglich wich er seinem Blick aus.

Mit einem gewaltigen Sprung eroberte Steffen den Ball. An der Art, wie seine Team-Kameraden sofort ihre Positionen einnahmen, konnte Daniel eine perfekt eingespielte Mannschaft erkennen.

Auch Daniels Mitspieler verstanden sich offenbar blind. Allerdings waren die vier Basketballer genauso blind für ihn. Nach zwei Minuten Spielzeit hatte er noch keinen einzigen Ballkontakt gehabt. Sie ignorierten ihn einfach. So etwas hatte Daniel noch nicht erlebt.

Als er sich beim nächsten Angriff seiner Mannschaft ins Aufbauspiel einschalten wollte und sich lautstark anbot, kam tatsächlich prompt der Paß von seinem ballführenden Mitspieler. Allerdings legte ihn dieser viel zu weit vor. Unerreichbar weit.

Daniel hechtete nach vorne.

Vergeblich.

Klinisch genau schnitt das Zuspiel an ihm vorbei ins Aus.

„Hey, Mann, beweg dich halt!" motzte ihn der Werfer an.

Daniel biß die Zähne zusammen, daß die Wangenknochen deutlich hervortraten, zog sich in die Defense zurück und versuchte, während des fälligen Einwurfs Steffen zu decken.

Der A-Jugendspieler machte einen Schritt nach vorne, bekam den Ball zugespielt, wirbelte herum und wollte mit einer Körpertäuschung an Daniel vorbeiziehen.

Doch der ließ sich nicht abschütteln. Die Sohlen seiner Turnschuhe quietschten über den Hallenboden, als er sich mitdrehte und wie ein Apportierhund dem Kapitän des gegnerischen Teams hinterherjagte. Hart bedrängte er Steffen.

Plötzlich fühlte er, wie sich eine Hand zwischen seine Beine schob und nach seinen Hoden griff. Er erstarrte förmlich zu Eis, blieb abrupt stehen und preßte in einem Reflex schützend die Oberschenkel zusammen.

Derweil stieg Steffen zu einem Dunking hoch und hämmerte den Ball durch den Korb.
Er grinste hämisch, als er an Daniel vorbei in die eigene Hälfte zurücklief.
„Immer schön vorsichtig, Sportsfreund", zischte er dem Teamneuling zu.
In Daniels tobte eine Hölle. Sein Magen schien sich zu drehen wie die Trommel einer Waschmaschine. Fairneß war beim Streetball ein heiliges Gebot. Regelwidrigkeiten wurden vom foulenden oder gefoulten Spieler sofort angezeigt. Gab es Unstimmigkeiten, dauerte es höchstens Sekunden, bis diese geklärt waren.
Er hätte es wissen müssen! Diese geistigen Sport-Invaliden kannten offenbar nur eine Regel: Gewinnen um jeden Preis. Für Daniel war die Sache gelaufen.
Mechanisch setzte er sich in Bewegung, als sein Team den Gegenzug startete. Irgendwie fand er sich unter dem gegnerischen Korb wieder. Der Wurf eines Spielers prallte vom Brett zurück und sprang ihm genau in die Arme. Instinktiv schraubte er sich in die Luft und setzte zu einem Schuß an.
Da schlug eine Faust gegen seine Schläfe. Er stürzte zu Boden und blieb ein paar Sekunden liegen, mehr verwirrt und wütend als benommen.
Er sah zu Goldmann hinüber. Der machte ein besorgtes Gesicht, wich aber seinem Blick aus.
„Weiter, weiter!" rief er den Spielern zu.
Entweder hatte er nichts gesehen – oder er wollte nichts sehen.

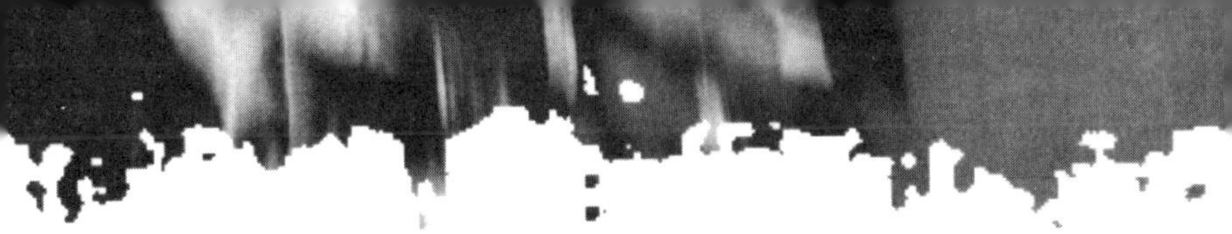

Ohne mich, entschied Daniel, rappelte sich hoch und trottete wortlos in Richtung der Umkleide.
Niemand machte Anstalten, ihn zurückzuhalten.

Daniel streifte gerade sein schweißnasses Trikot ab, als Goldmann in die Kabine kam.
„Bist du verletzt?“ fragte er.
„Nur mein Stolz“, murmelte Daniel fast unhörbar und fuhr schweigend fort, sich umzuziehen.
Goldmann wußte nicht, wie er mit der Situation umgehen sollte. „Wir gehen anschließend immer noch auf 'ne Cola. Du bist natürlich eingeladen.“
Daniel schaute kurz auf. „Nein danke. Vielleicht trinke ich im Zug was.“
„Du willst schon weg?“ fragte der Jugendleiter ehrlich überrascht. „Aber was . . .?“
„Nichts“, unterbrach ihn Daniel. „Aber das in jeder Hinsicht.“
Er schaute Goldmann direkt in die Augen.
„Ich fürchte, ich muß Ihnen einen Korb geben“, sagte er mit gestelzter Höflichkeit.
Als ihm der Doppelsinn seines Satzes bewußt wurde, brachte er ein gequältes Lächeln zustande, obwohl er innerlich kochte.
„Aber es ist doch gar nicht schlecht gelaufen!“ versuchte Goldmann ihn zum Bleiben zu überreden.
„Ach? Meinen Sie?“ höhnte Daniel und warf die Turn-

schuhe in seine Sporttasche. Für Erklärungen hatte er nicht den geringsten Nerv. Er wollte nur noch weg.
„Ja“, bekräftigte Goldmann. „Was das Spiel angeht . . .“, begann er vorsichtig. Anscheinend hatte er doch einiges mitbekommen. „Es ist klar, daß man sich in ein fremdes Team erst einfinden muß.“
„Hier gibt’s für mich nichts einzufinden“, erwiderte Daniel und strebte dem Ausgang zu. „Das ist nicht ganz meine Welt.“ Schon in der Tür, sagte er noch: „Danke für die Einladung.“ Dann wandte er sich endgültig zum Gehen.
„Ich bring dich zum Bahnhof!“ hörte er Goldmann rufen. Die Stimme klang hilflos.
Daniel drehte sich nicht einmal um.

12

Daniels Gedanken pendelten träge im Rhythmus des Zugs. Zu seiner eigenen Überraschung fühlte er weder Zorn noch Enttäuschung.
Nahezu zwanghaft versuchte er immer wieder, den demütigenden Augenblick zurückzuholen, als Steffen ihn mit seinem Griff zwischen die Beine gestoppt hatte. Sein Gehirn stanzte einen Endlos-Lochstreifen aus stürmischen Bildern und Empfindungen und ließ den unermüdlich durch den Körper tickern. Aber offenbar konnte sein Herz die Botschaft nicht entziffern. Kaum aufgeflackert, zerfaserte die Wut wie die dünne Rauchsäule über einem brennenden Streichholz.
Nach einer Weile dachte er nicht mehr an Goldmann oder Steffen. Statt dessen beschäftigten sich seine Gedanken mit dem kleinen Jungen, den er auf der Hinfahrt beim Basketballspielen beobachtet hatte.

Als Daniel in Berlin aus dem Zug stieg, verspürte er das Bedürfnis, mit jemandem zu reden. Thilo, Cem und Shaq schieden aus, weil sie von der Sache nichts wußten.
Seine Eltern? Nicht, wenn er mehr hören wollte als gutgemeinte Anteilnahme.
Er ging in eine Telefonzelle und schlug das Telefonbuch auf. Seine Finger fuhren die Spalten hoch und runter. Schließlich hatte er gefunden, was er suchte.
Er wählte Cirstins Nummer.

„. . . tja, und das war's dann für mich", beendete Daniel seinen Bericht.

Cirstin und er saßen in einem gemütlichen Bistro in der Nähe des Ku'damms.

Daniel hatte nichts weggelassen, nichts beschönigt. Er sah Cirstin in die Augen und wartete gespannt auf ihren Kommentar.

„Ganz schön beschissen", meinte sie spontan.

Sie hatte Daniel aufmerksam zugehört, ohne ihn zu unterbrechen, und nur ab und zu in stummer Empörung den Kopf geschüttelt.

„Andererseits . . ."

„Was andererseits? Jetzt sag bloß, du findest es in Ordnung, was dort abgelaufen ist?" Seine Stimme klang schärfer, als er es eigentlich beabsichtigt hatte.

Cirstin verstummte und blickte angestrengt in die Speisekarte, als wolle sie sie auswendig lernen.

„Hey", machte Daniel und zauberte ein sanftes Lächeln in sein Gesicht. „Nun sag schon, was du denkst."

„Denken hab ich mir abgewöhnt", antwortete Cirstin. „Das bringt einem nur Schwierigkeiten."

„Bei mir bestimmt nicht", lachte Daniel. „Ich versprech's dir."

„Ja, ja, das kenn ich", hielt Cirstin ihn noch ein wenig hin. „Und später bist du dann sauer und sagst: Tut mir leid, aber versprechen kann man sich ja mal . . ."

Daniel fühlte eine Welle der Zuneigung in sich aufsteigen. Was immer Cirstin ihm zu sagen hatte: es würde sich garantiert lohnen, drüber nachzudenken.

„Na los", bat er sie noch einmal. „Ich glaub, die schließen hier um Mitternacht."

Cirstin überlegte einen Moment. Dann sagte sie: „Auf der anderen Seite hat es doch immer wieder etwas Erhebendes, wenn sich Vorurteile so schön bestätigen. Oder?"
„Was meinst du damit?" fragte Daniel verblüfft.
„Ach, nur so 'n Gedanke."
Daniel griff nach seinem Glas und nippte ein paarmal daran. Das lose Ende seines Gedankenknäuels, nach dem er während der Zugfahrt vergeblich gesucht hatte, baumelte plötzlich direkt vor seinem geistigen Auge hin und he. Nun brauchte er es nur noch aufzuwickeln.
„Ich glaub, ich weiß, was du sagen willst", meinte er gedehnt. „Daß ich eigentlich doch ganz happy sein müßte . . ."
„. . . denn schließlich hast du mal wieder recht behalten", half ihm Cirstin. „Vereine scheinen tatsächlich nur was für Egomanen zu sein."
„Hey, gegen solche Fremdwörter bin ich algerisch", protestierte Daniel. „Sag doch gleich, daß das alles Spinner sind!"
„Wenn's dich glücklich macht", sagte Cirstin und zuckte die Schulter.
„Obwohl . . ." Wieder zögerte sie kurz. „Also, so ganz überzeugt bin ich irgendwie trotzdem noch nicht davon."
„Ach nein?" höhnte Daniel. „Muß ich erst im Gipsverband ankommen, bevor du mir glaubst?"
„Quatsch!" ärgerte sie sich. „Aber frag dich doch mal selbst, was du getan hättest, wenn dir einer bei einem Hoop auf der Straße so gekommen wäre."

„Ich hätte mit bloßen Händen unter dem Korb sein Grab ausgehoben“, antwortete Daniel, ohne nachzudenken.

„Eben.“

„Ach, leckt mir doch die Arche“, fluchte Daniel. Als er Cirstins verständnisloses Gesicht sah, fügte er hinzu: „Hat schon Noah gesagt, als die Sintflut kam.“

„Ja, ich glaub's auch“, lachte Cirstin und warf mit einer schnellen Kopfbewegung ihre Haare zurück.

Daniel mußte sich eingestehen, daß sie nicht ganz daneben lag mit ihren Ansichten. Im stillen bewunderte er sie für ihre Objektivität. Und dazu war sie in seinen Augen auch noch von fast illegaler Schönheit.

„Hast du morgen nachmittag wieder Katzen-Stunde?“ fragte er sie, um das Thema zu wechseln.

„Aber heftig!“ Cirstin nickte.

„Vielleicht schau ich auch mal wieder vorbei“, meinte Daniel lässig.

„Na, Zeit wird's“, mahnte ihn die Leaderin der *Bronx-Katzen.* „Bald ist Deutschland-Finale.“

„Ach was?“ machte Daniel in gespielter Verblüffung. Diesen Tag hatte er schon seit langem rot im Kalender angestrichen!

13

Fröhlich radelte Daniel am nächsten Tag zum Court. Das Gespräch mit Cirstin hatte seine Wirkung nicht verfehlt. Der *Baskethunter* fühlte sich wieder motiviert.
Erst gewinnen wir mal das Finale, sagte er sich, während der Fahrtwind an seinem Trikot zerrte. Dann sehen wir weiter.
Schon von weitem fielen Daniel die ungewöhnlich vielen Menschen um die Schul-Courts herum auf. Mindestens zwanzig Jungen hatten sich neben ihrem Spielfeld aufgestellt. Von Thilo, Cem und Shaq war kaum etwas zu sehen.
Daniel stellte sein Rad ab, nahm den Basketball vom Gepäckträger und versuchte, durch die menschliche Mauer auf den Court zu schlüpfen.
Er spürte die mißtrauischen Blicke. Ein paar der Typen kannte er vom Sehen. Es waren Brüder und Freunde von Cem.
„Was ist denn hier los?" fragte er statt einer Begrüßung seine drei Team-Kameraden. „Sollen die bei jedem Korb von uns einen auf *La Ola* machen? Ich dachte, das gäb's nur beim Fußball."
Erst dann sah er Cems linke Gesichtshälfte – mittelschwer geschwollen und in einer Farbe schillernd, die an verdorbene Lebensmittel erinnerte.
Augenblicklich wurde Daniel ernst. „Was ist passiert? Hat dich Freddy Krüger gestreichelt?"
Cem schaute betreten auf seine Fußspitzen. „Halb so schlimm", murmelte er. Damit schien das Thema für ihn erledigt zu sein.

Schließlich kam ihm Thilo zuvor: „Die Schweine haben ihn verprügelt“, platzte er heraus. „Auf dem Heimweg haben sie ihm aufgelauert!“

Daniel fragte erst gar nicht, wer. Es war klar, von wem Thilo sprach.

Der Kapitän der *Baskethunters* stieß geräuschvoll die Luft aus und schaute Cem hilflos an. Er wußte nicht, was er seinem Mitspieler und Freund sagen sollte.

„Aber das wird nicht noch mal passieren!“ mischte sich einer der Jungs, die um den Court herumstanden, ein. Ein stämmiger Bursche, dessen nackte Oberarme wie Keulen aus den Ärmeln seines T-Shirt herausragten. „Dafür werden wir schon sorgen!“

Die anderen reckten die Fäuste gegen den Himmel und bekundeten lautstark ihre Zustimmung.

Ach du Scheiße! schoß es Daniel durch den Kopf. „Das heißt wohl, daß wir in der nächsten Zeit unter ’ner Art Polizeischutz trainieren“, stellte er fest.

„Nix Polizei!“ zischte der türkische Junge. „Wir regeln das schon. Auf unsere Art!“

„Und was ist eure Art?“ fragte Daniel.

„Du wirst schon sehen. Spielt ihr nur wie immer, wir passen auf euch auf“, antwortete Cems Freund und grinste dabei herausfordernd.

„Na toll“, seufzte Daniel.

„Was sollen wir denn machen?“ ereiferte sich Thilo. „Diese Glatzen sind ’ne echte Landplage.“

„Ja, ist mir schon klar, daß dir das gefällt. Endlich hast du deine Ghetto-Romantik, was?“ spottete Daniel.

„Hey, du redest so was von Bullshit!“ greinte Thilo beleidigt.

Cem sagte immer noch nichts.

Auch Shaq schwieg betreten.

„Also schön“, murmelte der Leader der *Baskethunters* und warf Cem den Ball zu.

Die Atmosphäre um den Court war gespenstisch. Jedenfalls empfand Daniel es so. Vor Zuschauern zu spielen, das war eine Sache. Aber vor einer Gruppe von selbsternannten Aufpassern, die sich wie ein dunkler Vorhang zwischen die *Baskethunters* und die übrige Welt drängte – das war etwas ganz anderes.

Ab und zu hörte er Cirstins Stimme von einem der umliegenden Courts. Jedesmal drehte sich Daniel automatisch in ihre Richtung um. Aber alles, was er sah, waren die grimmigen Gesichter von Cems türkischen Freunden, die ohne sichtbare Regungen das Spiel der Streetballer verfolgten.

Die Skinheads ließen sich nicht blicken.

Schon vor Einbruch der Dunkelheit beendete Daniel das Training. Umringt von zwanzig Mann, machte sich Cem auf den Heimweg.

Thilo, Shaq und Daniel sahen ihnen nach.

„So kann das nicht weitergehen“, verkündete Daniel. „Das ist ja wie im Ostblock, wenn bei der Olympiade um einen Sportler zehn Funktionäre und zehn Aufpasser rumstanden.“

„Was weißt du denn vom Osten?“ ärgerte sich Thilo. „Außerdem passen die Typen doch nicht drauf auf, daß wir nicht abhauen. Im Gegenteil.“

„Na und? Was macht das für einen Unterschied?“ beharrte Daniel. „Ich find’s jedenfalls Dreck.“

„Hast du ’ne bessere Idee?“ wollte Shaq wissen. „Oder sollen wir etwa auf Cem einfach verzichten und ihn die nächsten paar Monate allein in seiner Bude hocken lassen?“

„Blödsinn! Aber Jesse Owens hat es den Nazis auch nicht auf dem Schlachtfeld, sondern auf der Laufbahn gezeigt. 1936, bei den Olympischen Spielen in Berlin.“

„Und was will uns dieses Gleichnis sagen?“ fragte Thilo spöttisch. „Sollen wir mit den Glatzen um die Wette laufen, oder was?“

„Was weiß ich!“ wehrte Daniel ab. „Du bist doch immer derjenige, der mehr Ideen als der Weihnachtsmann Nüsse hat.“

„Der Weihnachtsmann hat nur zwei Nüsse. Deshalb ist er ja ein Mann“, alberte Thilo.

Daniel und Shaq stöhnten kurz auf.

„Ich beam mich jetzt erst mal heim zu Mami und ziehe mir die neue Shaquille O’Neal-CD rein. Der Typ hat tatsächlich ’ne Platte aufgenommen. Hast du das gewußt?“ fragte er Shaq.

„Komiker!“ antwortete Shaq empört. Genausogut hätte Thilo fragen können, ob er seinen Namen richtig schreiben konnte.

„Vielleicht fällt dir dabei ja zur Abwechslung mal was Gescheites ein", hoffte Daniel.
„Wir werden sehen", sagte Thilo und jumpte davon.

Zwei Stunden später klingelte bei Daniel das Telefon. Thilo.
„Ich glaub, ich hab 'ne Idee!" informierte er seinen Team-Kapitän.
Daniel ließ das *Basket*-Magazin sinken, in dem er gerade geblättert hatte, und packte den Hörer fester. „Und?" fragte er gespannt.
Thilo hielt sich noch bedeckt. „Morgen kein Training!" bestimmte er. „Wir treffen uns zur üblichen Zeit bei mir. Sag den anderen Bescheid, ja?"
Dann legte er auf.

14

„Ich glaub, mein Basketball eiert!“ rief Shaq unwillkürlich, als er Thilos Zimmer betrat.

Auch Daniel und Cem guckten sich staunend um.

Alle vier Wände waren mit Postern der NBA-Stars tapeziert. Überlebensgroß schauten Charles Barkley, Hakeem Olajuwon, Karl Malone und Co auf die vier Streetballer herab. Von der Tapete war kein Fleckchen mehr zu sehen. Thilo lächelte stolz. Dann riß er von einem Notizblock auf seinem Schreibtisch ein Blatt ab, knüllte es zusammen und warf es aus einiger Entfernung mit theatralischer Geste in den Papierkorb.

Als die Papierkugel den Boden des Eimers, der die Form eines Basketballkorbs hatte, berührte, brandete der Jubel einer begeisterten Menschenmenge auf.

„Klingt zwar leicht metallisch, ist aber voll geil!“ freute sich Thilo.

„Wo hast du denn das Teil her?“ fragte Daniel.

„Aus Amerika natürlich!“ erklärte Thilo, ging vor dem Papierkorb in die Hocke, langte hinein und tippte mit seinem Zeigefinger auf den Boden. Sofort spielte das Tonband die nächste Jubel-Arie ab.

„Und was soll das hier sein?“ fragte Shaq und deutete auf einen Gegenstand, der wie ein überdimensionaler Big Mäc aus Plastik aussah.
„Mein Telefon, du Prolo!“ Thilo hob das Oberteil des Brötchens hoch und hielt es sich ans Ohr. Mit der anderen Hand griff er sich den Rest des Burgers, wo das Nummernfeld und die Sprechmuschel des Apparats eingebaut waren. Ein dünnes Kabel verband die beiden Hälften. „Hallo, ist dort der Manager der *Chicago Bulls*?“ säuselte er in die Leitung und drückte willkürlich ein paar Nummern. „Also, ich komm dann für die nächste Saison. Alles klar!“
Von weitem sah es tatsächlich fast so aus, als würde er sich einen Burger in den Mund schieben.
„Gib bluß nicht so an“, holte Daniel seinen Kameraden wieder auf den Boden der Tatsachen zurück.

„Wieso? Vielleicht klappt’s wirklich. Ich hab mich für ein Schuljahr in den USA beworben. An einer High School in der Nähe von Chicago. Eigentlich müßte die Antwort bald kommen.“
„Und dort wirst du dann sofort entdeckt und kehrst reich und berühmt zurück, was?“
„Du bist ja nur neidisch!“ beendete Thilo das Thema. „Kommen wir lieber zur Sache.“ Er ging zu seinem CD-Player und drückte die *On*-Taste. Mit einem Surren begann sich die silberne Scheibe zu drehen. „Hab ich gestern abend zufällig gefunden, als ich Shaquille O’Neal gesucht hab“, erklärte er.

Ein satter Rock-Sound ließ die Boxen vibrieren.
„Das kenn ich", sagte Daniel, als der Gesang einsetzte, hörte aber weiter aufmerksam zu.
Der Song handelte von einem jugendlichen Rechtsradikalen.
Deine Gewalt ist nur ein stummer Schrei nach Liebe! brüllte der Sänger der *Toten Hosen*. Der Refrain endete jeweils mit einem derben *Arschloch*!
Daniel, Cem und Shaq sahen Thilo fragend an.
„Ah ja", machte Daniel, als Thilo schließlich den Ton abdrehte. Er hatte keine Ahnung, worauf Thilo hinauswollte. Also mußte er es ihnen erklären. „Na ja, vielleicht haben die Typen als Kind nur zuwenig Spielsachen gehabt oder so", begann er zögernd. „Ich mein, es könnte doch sein, daß die nur so sauer sind, weil sie keiner mitspielen läßt . . ."

„Ah ja", machte Daniel wieder. Offensichtlich hielt er Thilo für nicht ganz dicht.
„Ich würde vorschlagen, daß wir ein kleines Turnier auf unserem Court veranstalten. Mit allen Teams, die dort so spielen. Und dazu laden wir die Glatzen einfach ein!"
„Ich glaub, du hast zu viele Bälle gegen den Kopf bekommen!" brauste Shaq auf. „Und ich dachte immer, so was könnte bei Basketballern nicht passieren."
Thilo hatte alles gesagt. Er setzte sich auf den Boden und ließ Daniel, Cem und Shaq scheinbar teilnahmslos über seine Idee diskutieren.
Shaq war strikt dagegen. „Also, wenn du schon so musi-

kalisch sein willst, warum legst du dann nicht Udo Lindenberg auf: *Wir sind die Pantherkatzen, und wir hauen mit den Tatzen auf die blöden Glatzen . . .*"
„Hör bloß mit diesem Grufti auf!" mischte sich Daniel ein. „Den abgeranzten Opa will doch wirklich keiner mehr hören!"
„Heißt das etwa, du bist dafür?" fragte Shaq entgeistert. Daniel schwieg. Er stützte sein Kinn auf seinen Handrücken und überlegte eine Weile. Dann schaute er Thilo an. „Glaubst du im Ernst, daß das funktioniert?"
„Was weiß ich!" stieß Thilo hervor. „Es wär ja nur ein Versuch. Wenn sie nicht mitziehen oder uns gleich umhauen, dann können Cems Freunde immer noch Rambo mit ihnen spielen!"
„Ich glaub einfach nicht, daß die überhaupt mitmachen", meinte Daniel zweifelnd. „Oder auch nur wissen, wie man einen Basketball hält."
„Überlaß das nur mir", antwortete Thilo im Brustton der Überzeugung.
Drei Augenpaare suchten Blickkontakt mit Cem. Der türkische Junge hatte nur stumm dagesessen und zugehört.
„Ich glaub, das letzte Wort liegt bei dir", sagte Daniel.
Cem rutschte unsicher hin und her. Wie ein Messer schnitt plötzlich die Erinnerung an die gemeinen Schläge der Skin-Bande in sein Bewußtsein.
„Als Kinder zuwenig Spielsachen bekommen . . .", murmelte er verachtlich vor sich hin. „So 'n Schwachsinn." Er

hob den Kopf und sagte laut: „Hey, Mann, das sind Irre, falls ihr es noch nicht bemerkt haben solltet! Ich hab's jedenfalls!"

Daniel, Thilo und Shaq schwiegen betreten.

„Ich bin auch dagegen", sagte Shaq nach einer längeren Pause und stand auf.

Daniel und Thilo erhoben sich ebenfalls.

Nur Cem blieb sitzen und starrte gedankenverloren auf ein Michael-Jordan-Poster an der Wand.

„Also gut", zischte er plötzlich. „Zeigen wir diesen Typen, wo der Hammer hängt!"

„Worauf du dich verlassen kannst, Alter!" rief Daniel aus und streckte seinem Kameraden die Hand hin.

Cem ergriff sie und zog sich daran hoch.

„Also, bist du dabei?" wollte Daniel von Shaq wissen.

Shaq gab sich geschlagen. „Na klar", stöhnte er. „Alle für einen, einer für alle!"

„Meine Güte", wehrte Cem ab, „wir sind doch nicht die drei Musketiere."

„Nein", gab Daniel ihm recht. „Aber die vier Korbjäger!"

15

Am nächsten Tag boten die Courts um Daniels Schule herum wieder das gewohnte Bild. Die *Baskethunters* übten ihre Spielzüge ein, und die einzigen, die ihnen dabei hin und wieder zusahen, waren die Mannschaften auf den Nachbarplätzen.

Cem hatte erst gar nicht versucht, seine Brüder und seine türkischen Freunde davon zu überzeugen, daß er auf ihren Schutz verzichten wollte. Statt dessen hatte er eine leichte Zerrung vorgeschützt, sich auf sein Zimmer zurückgezogen und sich dann heimlich davongeschlichen.

Ganz wohl war Cem nicht. Er spielte unkonzentriert und klinkte sich des öfteren aus, um nach allen Seiten Ausschau zu halten. Mühsam kämpfte er seine Unruhe nieder. Tief in seinem Inneren wußte er, daß Thilo und Daniel recht hatten. Gäbe er seinen türkischen Freunden freie Hand zum Glatzenpogo, würden auf „ihrem" Court künftig keine Streetballspiele, sondern nur noch Bandenkriege ausgetragen werden.

Und das zwei Monate vor dem Streetball-Challenge!

Es führte kein Weg daran vorbei: Zumindest den Versuch, die Sache friedlich zu regeln, war er den *Baskethunters* schuldig. Schließlich hätten Daniel, Thilo und Shaq ja auch auf ihn verzichten und ihn einfach aus dem Team werfen können!

„Hey, du pennst", raunzte ihn Thilo an und zog locker an ihm vorbei.

Cem verscheuchte die trüben Gedanken und konzen-

trierte sich wieder aufs Spiel. Für einige Zeit gelang es ihm, seine Umgebung zu vergessen.
Plötzlich hielt Daniel den Ball fest und machte eine Handbewegung zur Straße hin. „Ich glaub, wir kriegen Besuch!"
Cems Blutdruck schnellte auf mindestens hundertachtzig.
„Ganz easy!" beruhigte ihn Daniel. „Mit den sechs Schießbudenfiguren werden wir zur Not auch ohne deinen Clan fertig." Er machte eine künstlerische Pause und fügte dann hinzu: „Wenn's nötig sein sollte."
Die Skinheads erkundeten erst einmal vorsichtig die Szenerie. Offenbar war ihnen der Aufmarsch von Cems Freunden zwei Tage zuvor nicht verborgen geblieben. Wie eine Raubkatze, die sich erst mal langsam ihrer Beute nähert, schlichen sie sich ran.
„Also los!" gab Daniel das Signal. „Bringen wir's hinter uns."
Betont lässig schlenderten die vier Streetballer auf die kahlgeschorenen Jugendlichen zu. Die blieben stehen und versuchten sich einen Reim auf die neue Situation zu machen.
Daniel sah, wie ihre Körper sich verkrampften. „Erst zuschlagen, dann denken, was?" höhnte er leise.
Thilo spürte, daß sich die Spannung zwischen den beiden Gruppen jeden Moment entladen konnte, und preschte mutig vor. „Hey, Jungs!" rief er und setzte sein Sonntagslächeln auf. „Sind die Ohren und alles andere noch schön steif?"

Die sechs Skinheads erstarrten. Offensichtlich hatte Thilo den falschen Einstieg gewählt.
„Na ja, Schurz beiseite“, redete er hastig weiter. „Eigentlich wollten wir euch nur fragen, ob ihr am Samstag ein paar Bälle mit uns werfen wollt? Wir haben hier 'n kleines Turnier, und da ihr sowieso öfter in der Gegend seid, dachten wir, daß ihr vielleicht auch gern kommen würdet.“
Die Skins glotzten Thilo verständnislos an. Diesen Ton waren sie nicht gewohnt.
Ihr Anführer fand als erster die Sprache wieder: „Seid ihr Freaks, oder was?“ brachte er raus.
Nicht einmal Thilo konnte sich einen Reim darauf machen, was das Wort Freaks in diesem Zusammenhang bedeuten sollte. Vermutlich hatte er die sechs Helden schwer verwirrt.
„Was?“ fragte er vorsichtshalber zurück.
Der Skin wurde deutlicher: „Wollt ihr uns verarschen, oder was?“ nölte er aggressiv. „Das ist doch 'ne Falle. Rums, stehen auf einmal die Türken auf der Matte, schwör ich euch.“
Seine Kameraden nickten beifällig.
„Hört zu, Jungs“, wiederholte Thilo die Worte, die Daniel einige Tage zuvor benutzt hatte, „wir brauchen unsere Hände zum Basketballspielen und nicht, um auf andere Leute einzudreschen. Außerdem spielen auch Mädchen mit. Denkt ihr, wir würden uns vor denen so aufführen?“
Die Skinheads schienen nur das Wort *Mädchen* zu hören. Schlagartig hellten sich ihre Mienen auf.

Daniel mischte sich ein: „Wir sind Sportler, und wir würden gern gegen euch spielen. Das ist alles." Mit sanfter Ironie fügte er hinzu: „Wir wissen zwar, daß ihr von Basketball nicht viel haltet, aber ihr könnt uns ja mal zeigen, wie es richtig gemacht wird."
Sein Gegenüber blieb tatsächlich auf dieser verbalen Leimspur kleben.
„Klar, das könnten wir schon", meinte der Oberskin gönnerhaft.
Das Gespräch versickerte langsam. Auf Angriffe wußten die Skins jederzeit schlagkräftig zu reagieren. Wie sie aber mit einer Einladung umgehen sollten, war ihnen offenbar nicht ganz klar.
„Wann soll der Zinnober denn steigen?" wollte einer von ihnen wissen.

„Gegen zehn, vormittags versteht sich!" antwortete Daniel.
„Ey, um die Zeit penn ich noch!" rief ihr Anführer. „Ich schwör's!"
Er schien diese Redewendung für eine Art persönliche Note zu halten.
„Dann kommt eben später. Wir warten auf euch", besänftigte ihn Daniel.
Die sechs Jungs schauten mißtrauisch zu Cem, der sich stumm im Hintergrund gehalten hatte. In seinen Augen flammte unterdrückte Wut auf. Schließlich zwang er sich zu einem verzerrten Grinsen.
Damit waren die Skins offenbar zufrieden. Lautstark dis-

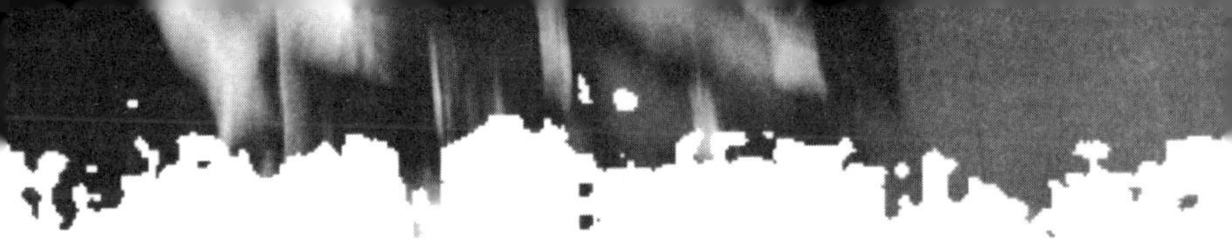

kutierend, marschierten sie zurück auf die Straße. Ab und zu drehte sich einer von ihnen nach den *Baskethunters* um und schüttelte dabei heftig den Kopf.
Daniel, Thilo, Cem und Shaq sahen ihnen nach.
„Eigentlich können sie einem fast leid tun", sagte Shaq.
Die anderen nickten stumm.

16

Fünf Teams fanden sich am Samstag vormittag zum IN MY HOUSE-Cup, wie Daniel das Turnier getauft hatte, ein. Allesamt Spieler, die wie die *Baskethunters* täglich oder zumindest regelmäßig auf den Courts vor der Schule trainierten. Sie wußten, daß der Winner des kleinen Hoops im Grunde bereits feststand. Aber jeder rechnete es sich zur Ehre an, gegen den Mega-Event-Sieger von Hamburg zu spielen.

Auch die *Bronx-Katzen* kamen. Als einziges Team waren Cirstin und ihre Freundinnen in die wahren Hintergründe des Treffens eingeweiht. Daniel hatte ihnen offen erklärt, daß er sie gern dabei haben, sie aber unter keinen Umständen in Gefahr bringen wollte.
Ohne zu zögern, hatten Cirstin, Marthe, Daniela und Chris zugesagt.
„Meinst du, die kommen tatsächlich?" fragte Cirstin Daniel, als es zehn Uhr vorbei war.
Daniel war sich nicht mehr sicher. „Keine Ahnung. Aber selbst wenn sie sich nicht trauen, haben wir damit vielleicht schon unser Ziel erreicht."
„Ja, kann sein", meinte Cirstin.

Daniel wartete noch ein paar Minuten ab. Als von den Skins immer noch nichts zu sehen war, schickte er die ersten beiden Teams auf den Court.
Die übrigen Spieler setzten sich auf den Asphalt und verfolgten gespannt die Aktionen der *Dare Devils* und der *Hoopers*.

Cirstin sah sie zuerst. Sie tippte Daniel auf die Schulter und sagte ruhig: „Ich glaub, es geht los!"
Daniel, Cem, Thilo und Shaq ruckten herum.
Lässig die Hände in den breiten Taschen ihrer Armeehosen vergraben, stiefelten die sechs glatzköpfigen Jugendlichen auf den Court zu.
„Echt der Wahn", murmelte Thilo.
Auch die andren Streetballer hatten die Skins bemerkt.
„Äh, sind das Freunde von euch?" fragte einer von ihnen Daniel. In seiner Stimme lag deutliches Unbehagen.
„So was ähnliches", bestätigte der Kapitän der *Baskethunters*.
„Alles magic, Jungs. Um die kümmern wir uns", beruhigte Thilo den Jungen.
Daniel erhob sich und ging seinen „Gästen" entgegen.
„Hey, es ist erst zehn, ich schwör's!" beschwerte sich der Obermotz der Skins lautstark bei Daniel und zeigte auf die beiden Teams, die gerade spielten.
„Kein Problem. Ihr seid gleich dran", wehrte Daniel ab. Dann wollte er ihre Namen wissen.
Der Anführer der sechs stellte sich als Bomber vor. Zwei

nannten sich Ramos und Wolle. Der vierte hörte ganz normal auf Ralf. Die übrigen beiden wollten ihre Namen nicht sagen.

„Habt ihr keine Sportsachen dabei?“ fragte Daniel.

„Was? Nö, wieso?“ brummte Bomber.

„Nur so“, murmelte Daniel und führte sie zum Court.

Fünfundzwanzig Augenpaare musterten die Skins mißtrauisch.

„Wie nennt ihr euch?“ wollte Daniel wissen.

„Haben wir doch gerade gesagt!“ Bomber schüttelte verständnislos den Kopf.

„Eure Mannschaft, mein ich!“ erklärte Daniel.

Die sechs kahlgeschorenen Jugendlichen schauten einander an.

„Wie wär’s mit *Heros*?“ schlug Daniel vor. „Das heißt Helden.“

„Klar, wenn du das sagst“, meinte Bomber großzügig.

„Also“, wandte Daniel sich an die übrigen Teams, „das sind die *Heros*. Sie spielen in der ersten Runde gegen uns. Alles klar?“

Er schaute die Spieler fragend an.

Nur zögernd bekundeten einige so etwas wie Zustimmung.

„Na denn!“ Daniel zwinkerte den übrigen Teams verschwörerisch zu.

Die meisten Jungs hatten ohnehin schon begriffen, daß irgend etwas an der Sache faul war. Allerdings schien jetzt nicht der geeignete Zeitpunkt zu sein, um sich das Ganze näher erklären zu lassen.

Die *Heros* zogen ihre Bomberjacken aus und warfen sie auf den Boden. Darunter trugen sie ärmellose weiße Unterhemden mit dem schwarzen Bundesadler auf der Brust.
„Sind die Dinger von der Bundeswehr?“ fragte Thilo.
„Na klar“, bestätigte Bomber stolz.
„Ach, deshalb sind sie so häßlich“, erwiderte Thilo.
Bomber schaute ihn böse an.
Daniel nahm Bomber beiseite, um ihm in groben Zügen die Streetball-Regeln zu erklären. Seine Kameraden beäugten unterdessen aus respektvoller Entfernung die *Bronx-Katzen*.
Ramos, Wolle, Ralf und die beiden Namenlosen schienen lebhaft über eine mögliche Vorgehensweise zu diskutieren. Schließlich hatten sie sich geeinigt. Ramos wurde vorgeschickt und trottete unsicher zu Marthe. Er blickte sich noch einmal zu seinen Freunden um, die ihm mit erhobenem Daumen Mut zu machen versuchten, und fragte sie dann: „Na, spielt ihr auch mit?“
„Ja“, antwortete Marthe und lächelte sanft.
Diese Auskunft schien Ramos zu genügen. Er drehte sich um und ging eilig zu Wolle, Ralf und den beiden anderen zurück. Die ließen ihn allerdings erst gar nicht ausreden, sondern stießen ihn unsanft in Richtung des Mädchens.
Mit sichtlichem Widerwillen näherte er sich erneut der blonden *Bronx-Katze*. Der Skin deutete auf den Pantherkopf auf Marthes Trikot und sagte: „Geil!“
„Danke“, sagte Marthe.

Ramos drehte sich zu seinen Freunden um und grinste triumphierend.
Ein paar Sekunden später standen auch die anderen vier *Heros* um Marthe herum. Cirstin, Daniela und Chris gesellten sich dazu.
Obwohl das Gespräch eher schleppend verlief, waren die Skinheads begeistert. Die vier Mädchen konterten die ungeschickten Annäherungsversuche souverän.
„Na, das sind mir ja schöne Helden", spottete Cem, der die Szenerie amüsiert beobachtete.
„Das sind ganz arme Loser", sagte Shaq. „Das soll natürlich nichts entschuldigen."
Cem machte eine wegwerfende Handbewegung: „Ich weiß."

Daniel versuchte in der Zwischenzeit vergeblich, Bomber davon zu überzeugen, daß jeweils nur drei Spieler einer Mannschaft den Court betreten sollten.
„Nix da!" stellte der Anführer der Skins klar. „Wir machen immer alles zusammen."
Daniel holte tief Luft und stieß sie hörbar wieder aus. „Also gut", gab er schließlich nach. „Dann spielen wir eben auf zwei Körbe. Und zwar wir vier gegen euch sechs."
„Ist uns doch egal." Bomber war zufrieden.
„Habt ihr so was schon mal gespielt?" wollte Daniel noch wissen.
„Klar, in der Schule!"
In welcher Schule? dachte Daniel. Er verkniff sich aber die Bemerkung.

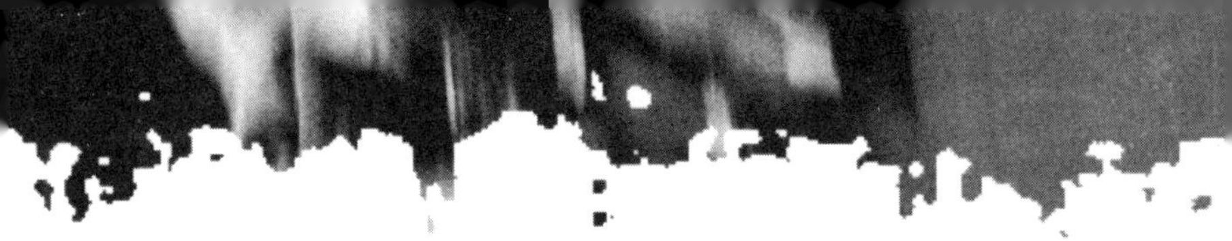

„Hey, es kann losgehen!“ rief Bomber seine Kameraden zu sich.
Die *Dare Devils* und die *Hoopers* verließen den Court.
„Das Spiel muß wiederholt werden“, forderte der Kapitän der *Dare Devils* von Daniel. „Soll sich mal ein Mensch konzentrieren können, wenn diese Typen hier rumlungern!“
Daniel hielt ihn fest und beugte sich dicht an das Ohr des Spielers: „Bleib cool, die sind wir bald wieder los“, raunte er ihm zu.
Der Junge zuckte mit den Achseln und ging weiter.
Die *Baskethunters* und die *Heros* betraten das Spielfeld.
Cirstin übernahm den Part des Court-Beobachters. „Also, ich will ein faires Spiel sehen!“ rief sie, als würde sie einen Boxkampf eröffnen.
„Na klar, immer!“ beeilten sich die sechs Skins, ihr zu versichern.
Daniel, Thilo, Cem und Shaq grinsten.
„Sofern das mit Springerstiefeln möglich ist“, stichelte Thilo laut.
„Komm uns halt nicht ins Gehege!“ warnte ihn Bomber.
„Worauf du einen lassen kannst“, murmelte Thilo.
Cirstin warf den Ball im Mittelkreis in die Luft.
Daniel sprang – allerdings nicht nach oben, sondern rückwärts, von Bomber weg. Dieser war seelenruhig stehengeblieben und fing den Ball mit beiden Händen auf. Er tippte die Gummikugel ein paarmal auf, dann nahm er sie wieder in beide Hände und lief ein paar Meter damit.

„Hey, Schritte!" riefen die Streetballer, die das Match vom Spielfeldrand verfolgten.

Cirstin machte keine Anstalten, zu reagieren. Auch die *Baskethunters* protestierten nicht.

Bomber lief bis unter den Korb. Daniel stellte sich ihm halbherzig in den Weg. Bomber übergab den Ball an Ralf, der mit einem martialischen Schrei hochsprang und die Pille durch den Ring stopfte. Die *Heros* stießen die Fäuste in die Luft.

„Sag mal, was läuft da eigentlich für 'ne Nummer?" wollte ein Spieler der *Dare Devils* von Cirstin wissen.

Cirstin schaute ihn nur an.

„Ist ja auch egal", winkte der Junge ab. Offensichtlich ging hier etwas vor, was er nicht verstand. Und vielleicht auch nicht verstehen sollte. Er wandte seine Aufmerksamkeit wieder dem Match zu.

Die *Baskethunters* spielten, als hätten sie die letzten Jahre ausschließlich auf einem Baumhaus am Amazonas verbracht. Ein Affe konnte mit einer Kokosnuß wahrscheinlich geschickter umgehen als Daniel, Thilo, Cem und Shaq mit dem Basketball.

Die *Heros* dagegen schienen Gefallen an dem Spiel zu finden. Die schweren Sohlen ihrer Stiefel traktierten geräuschvoll den Asphalt, wenn sie über den Court rannten. Bald lief ihnen der Schweiß in Strömen übers Gesicht.

Ab und zu ermahnte Cirstin sie, den Ball zu dribbeln und nicht zu tragen. Dann prellte der angesprochene Spieler

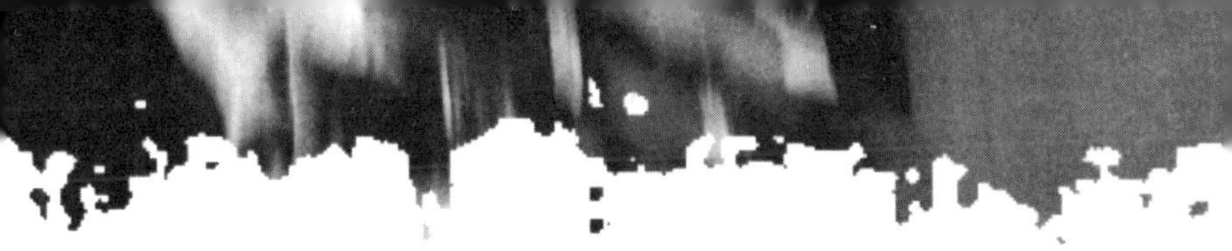

die Gummikugel ein paarmal stolz auf den Boden, so lange, bis der eigene Mannschaftskamerad sie ihm wegnahm, um selbst zu glänzen.
Bald lagen die *Heros* klar in Führung.
Um den Court herum wurde es still.
Die übrigen Streetballer begannen hektisch darüber zu diskutieren, wer als nächstes Team gegen die Skins anzutreten hatte. Die *Dare Devils* hatten das erste Spiel gegen die *Hoopers* gewonnen.
„Na und?" sträubte ihr Leader sich. „Kommt nicht in Frage! Ich geh sowieso gleich. Was soll denn dieser Mist hier eigentlich? Wozu sind wir überhaupt gekommen?" schimpfte er.
Marthe legte ihm beide Hände auf die Schulter. „Du kannst dich abregen", sagte sie. „Wir spielen gegen die Typen."
Der *Dare Devil* starrte fassungslos sie an. „Ihr?"
„Hm", nickte Marthe. „Und danach fängt das Turnier erst richtig an."
Die aufgebrachten Jungs beruhigten sich ein wenig.
„Hoffentlich habt ihr 'ne gute Ausrede für das", meinte der Streetballer und zeigte auf den Court.
Thilo dribbelte gerade wie ein Kreisel ständig um die eigene Achse. Plötzlich schien ihm schwindelig zu werden. Er blieb stehen, griff sich mit einem leidenden Gesichtsausdruck an die Stirn und ließ den Ball achtlos wegspringen. Ramos nahm ihn auf und trampelte damit zum Korb.

„Fast bühnenreif, was du da treibst", raunte Daniel Thilo zu.
„Ich hab keinen Bock mehr!" maulte Thilo. „Wie lange müssen wir denn noch?"
Die *Heros* hatten einen satten Vorsprung.
Daniel schaute zu Cirstin herüber und gab ihr ein Zeichen.
Cirstin hob beide Hände und rief: „Aus!"
Cem, der gerade in Ballbesitz war, warf ihr die Kugel zu.
Die *Heros* brüllten ihren Triumph heraus.
„Was, schon vorbei?" fragte Bomber dann.
Cirstin nickte energisch. „Wenn ihr wollt, könnt ihr aber gleich auf dem Spielfeld bleiben. Der nächste Gegner wartet schon. Falls ihr noch könnt!"
„Klar!" rief Bomber. „Immer her mit!"
Cirstin, Marthe, Daniela und Chris liefen auf.
„Gegen euch?" freute sich Bomber.
„Was dagegen?" lächelte Cirstin.
„Wo denn!" protestierte Bomber. „Tut uns nur leid für euch!"
„Abwarten", meinte Cirstin.
Daniel führte den Anwurf aus.
Cirstin sprang hoch und brachte die Kugel unter Kontrolle.
Sofort stürmten die *Heros* auf sie los. Etwa einen halben Meter vor ihr blieben sie abrupt stehen. Näher wagten sie sich wohl nicht an ein Mädchen heran.
Cirstin paßte über die Köpfe der Skins hinweg zu Marthe, die völlig freistand.

Wie von einem Insekt gestochen, rannte Ramos hinter dem Mädchen her und versuchte, ihr den Ball abzujagen. Geschickt deckte Marthe die Kugel ab.
Der enge Körperkontakt mit der blonden Spielerin der *Bronx-Katzen* schien Ramos zu verwirren. Hektisch fuchtelte er mit seinen Armen herum. Plötzlich verirrte sich seine Hand auf Marthes Po.
Das Mädchen wirbelte herum und stieß den Ball zu einem gezielten Punch[39] in Ramos Magengegend.
Der Skin gab einen Laut von sich wie ein Ballon, aus dem die Luft gelassen wird, krümmte sich und sank auf den Boden.
Seine Kameraden grölten und applaudierten Marthe begeistert.
Die *Bronx-Katze* ging zu dem Skin hin und streckte ihm ihre Hand entgegen.
Unsicher blickte Ramos auf.
Marthe ahnte, daß ihn sein eigenes Verhalten und der Spott seiner Kameraden mehr schmerzten als ihr Paßball in den Unterleib. „Normalerweise trete ich nur kräftig auf die Zehen", sagte sie und half ihm auf die Beine. „Aber nicht bei Springerstiefeln. Sorry."
„Äh, 'tschuldige", stammelte Ramos.
„Ihr kriegt 'nen Freiwurf", beendete Marthe den Zwischenfall.
Die *Heros* lachten sich immer noch scheckig.
Die *Bronx-Katzen* spielten mit angezogener Handbremse, aber dennoch klar auf Sieg. Die sechs Skins rannten

schwitzend und keuchend den Court rauf und runter, ohne die Aktionen der vier Mädchen nur im entferntesten stören zu können.
Die Begeisterung der *Heros* schwand sichtlich. Als zwei von ihnen praktisch nur noch aus dem Stand spielten, beendete Daniel das Match.
Hätten Bomber, Ramos, Ralf, Wolle und ihre beiden Kumpanen mit jedem anderen Gegner nun einen heftigen verbalen Schlagabtausch begonnen, so schüttelten sie den *Bronx-Katzen* lange und intensiv die Hände.
„Dann sind wir jetzt wohl ausgeschieden, oder wie seh ich das?" wollte Bomber wissen.
„Ich fürchte", antwortete Daniel. „Aber ihr seid uns natürlich ein Rückspiel schuldig."
„Klar!" versprach Bomber. „Nächsten Samstag?"
„Das geht leider nicht. Wir dachten so an Ende August."
„Von mir aus", ging der Skin darauf ein.
„Wollt ihr noch 'ne Weile zuschauen?" fragte Thilo.
Bomber überlegte kurz. Seine Kameraden schüttelten den Kopf. „Nee, laßt mal. Ist uns zu öde", wehrte er dann ab. „Aber ihr könnt ja mit uns kommen", wandte er sich an Cirstin, Marthe, Daniela und Chris.
„Sorry, aber wir müssen das Turnier gewinnen", erklärte Cirstin.
Die sechs Skinheads schienen fast ein wenig erleichtert zu sein. Vermutlich hätte keiner von ihnen gewußt, wohin mit den Streetballerinnen. So blieben sie Herr der Situation.

Sie hoben ihre Jacken auf und hängten sie achtlos über ihre Schultern. Dann trotteten sie davon.
Thilo brach in einen Lachanfall aus, sank zu Boden und japste nach Luft.
Daniel ging zu Cirstin. „Danke!"
„Es war uns ein Vergnügen, oder?" Sie sah zu ihren Mitspielerinnen.
„Die waren doch richtig rührend", stimmte Marthe ihr zu.
„Ja, echt toll!" mischte sich der Kapitän der *Dare Devils* ein. „Seid ihr eigentlich komplett durchgedreht? Wieso habt ihr was von einem Rückspiel gefaselt?"
„Weil wir ihnen dann ein Spiel zeigen werden, daß ihnen Hören und Sehen vergeht", erklärte ihm Daniel. „Und das wird zu Null ausgehen. Null Körbe für die, versteht sich."
„Ach was? Und wieso habt ihr heute gespielt wie die ersten Menschen?"
„Die brauchen halt jemanden, dem sie sich überlegen fühlen können. Sonst machen sie nur Ärger. Und den können wir im Moment nicht gebrauchen."
„Und deswegen verliert ihr freiwillig ein Spiel?" fragte der Junge fassungslos.
Daniels Gesicht versteinerte. „Hör zu", sagte er, „in zwei Monaten werden wir das Streetball-Finale gewinnen. Dort werden wir zeigen, was wir können. Nur das zählt!"
„Hm", machte der Junge, „meinetwegen."
„Nein, nicht deinetwegen", verbesserte ihn Daniel. Er zeigte auf Cem. „Seinetwegen!"

„Versteh ich nicht", gab der *Dare Devil* zu.
„Macht nichts", meinte Daniel. „Jedenfalls war diese Niederlage heute vielleicht sein größter Sieg – rein menschlich gesehen."
Cem lächelte undurchdringlich.
Daniel knuffte ihn in die Seite.
„Nun fangt mal nicht gleich an zu weinen, Jungs", unterbrach Shaq sie. „Ganz so billig kommen die Typen nun auch wieder nicht davon."
„Wieso?"
„Schaut euch mal die Jacke von diesem Bomber an. Ist gerade noch so zu sehen, von hier aus."
Die Streetballer kniffen die Augen zusammen und starrten in die Ferne. Auf der Jacke des Skins war ein krakeliger Schriftzug zu erkennen.
Lässig rappelte Shaq mit einer Spraydose in seiner Hand. Mühsam entzifferte Daniel die Worte. Dann brach er in ein befreites Lachen aus. Auf Bombers Jacke stand in grüner Leuchtfarbe: *Sieg smile!*

17

Larry Johnson, der Star des NBA-Spitzenteams *Charlotte Hornets*, fährt mit einer schwarzen Mercedes-Limousine zu seinen Spielen vor. Er rollte nur mit dem Fahrrad zum Deutschland-Finale des Streetball-Challenge. Daniel mußte lächeln, als ihm der Vergleich einfiel.
Eine Szene aus dem Boxer-Film *Rocky* kam ihm in den Sinn. Dort war der mittellose Herausforderer sogar zu Fuß zu seinem WM-Fight gegangen – und hatte anschließend den Champion aus dem Ring gedroschen.
Vielleicht bin ich ja auch so was ähnliches, sinnierte Daniel. Ein Basketball-Rocky.
Zum ersten Mal seit Wochen dachte er wieder an sein verpatztes Probe-Training bei dem Bundesliga-Club.
„Ihr werdet euch alle noch wundern!“ murmelte Daniel vor sich hin, während ihm der Fahrtwind die Tränen in die Augen trieb. „Ich brauch euch Idioten nicht. Bestimmt nicht!“
Mit Befriedigung stellte er fest, daß er heiß auf das Final-Turnier war. Siedend heiß sogar.
Wegen Goldmann.
Wegen Thilo, Cem und Shaq.
Wegen Cirstin.
„Und vor allem wegen mir!“ sagte er laut und trat noch fester in die Pedale.
Schon aus der Ferne sah er das mächtige Rund des Berliner Olympiastadions. Eine Kakophonie aus Rapmusik, Lautsprecher-Durchsagen und Stimmengewirr wehte zu ihm rüber.
Daniels Sinne reagierten auf die Geräuschkulisse wie ein

Zirkuspferd, das sich in Bewegung setzt, sobald die vertraute Melodie erklingt. Seine Magennerven fingen an zu vibrieren. Automatisch begann er tiefer zu atmen.
Streetballfieber, dachte er. Ein herrliches Gefühl!
Zumal die *Baskethunters* heute ein Heimspiel hatten.
Daniel kettete sein Rennrad an, nahm die Sporttasche vom Gepäckträger und schlenderte zum verabredeten Treffpunkt.
Thilo war schon da und trat unruhig von einem Bein aufs andere.
„Du hast wohl hier übernachtet?" begrüßte Daniel seinen Mannschaftskameraden.
„So ungefähr", winkte Thilo ab.
Cem kam fünf Minuten später.
Nur Shaq fehlte noch.
„Wo bleibt der denn?" jammerte Thilo, als weitere zehn Minuten vergangen waren. Sehnsüchtig schaute er immer wieder über den großen Platz vor dem Olympia-Stadion. Er konnte es kaum mehr erwarten, sich ins Getümmel zu stürzen.
„Geht schon mal zur Anmeldung", bestimmte Daniel schließlich. „Ich wart hier. Wir kommen dann nach."
Thilo war schon verschwunden, noch ehe Daniel den Satz beendet hatte. Cem lief hinterher.
Der Kapitän der *Baskethunters* benutzte seinen Ball als Sitzkissen und wartete.
Irgendwann tauchte Shaq auf. Wie ein alter Mann trottete er zu Daniel.

„Da hinten ist ein Stromanschluß. Nur falls du deinen Finger mal kurz in eine Steckdose schieben möchtest", alberte Daniel. „Das wär vielleicht kein Fehler, so wie du heute aussiehst."
Shaq entgegnete nichts. Er setzte sich neben Daniel auf den Boden und starrte vor sich hin wie jemand, der vergessen hat, die Rolläden zu öffnen und trotzdem aus dem Fenster schaut.
„Hey, hast du keinen Bock, oder was?" wollte Daniel wissen.
Aus Shaqs Körper schien über Nacht jegliche Kraft und Dynamik gewichen zu sein.
„Ich hab gestern abend Besuch gehabt", sagte er endlich.
„Und?" bohrte Daniel. „Hat dich endlich deine Alte mal mit 'ner anderen erwischt?"
Shaq grinste schief. „'ne Frau war tatsächlich dabei", erklärte er. „Leider hatte sie keine Reizwäsche an, sondern 'ne grüne Uniform."
Daniel stieß einen wüsten Fluch aus. Er wußte sofort, was passiert war.
„Halt mir jetzt bloß keine Vorträge!" bat Shaq.
„Die helfen dir auch nichts mehr", hielt Daniel sich zurück.
„Ich hab keinen blassen, wie das passieren konnte", verteidigte sich Shaq lahm. „Die müssen was von den *Baskethunters* in der Zeitung gelesen haben."
Einige Zeitungen und Stadtmagazine hatten in ihren Vorberichten zum Streetball-Challenge die *Baskethunters* als einen der teilnehmenden Mega-Events-Sieger erwähnt.

„Und dann haben sie rumgefragt und schon waren sie bei dir“, folgerte Daniel. „Das ist immerhin ’ne Sonderkommission, die sich mit den Grafitti-Typen und den Sprayern befaßt.“
„Ja, Berühmtheit ist schon was Tolles“, meinte Shaq ironisch.
Daniel griff sich an die Stirn und massierte mit seinen Fingern die Schläfen – er überlegte angestrengt.
„Und was jetzt?“ fragte er Shaq.
„Keine Ahnung. Wahrscheinlich gibt’s ein Verfahren. Und das kann teuer werden.“
„Sehr teuer!“ bekräftigte Daniel düster.
„Was soll’s!“ rief Shaq plötzlich und stand auf.
„Kannst du spielen?“ wollte Daniel wissen.
Shaq schnaufte heftig. „Klar, ich sprühe vor Begeisterung!“
„Hoffentlich ausnahmsweise nur vor Begeisterung und nicht mit Begeisterung“, sagte Daniel.

Shaq sollte sich irren. Shaq spielte miserabel. In den ersten beiden Hoops der *Baskethunters* erwies er sich als ständiger Unsicherheitsfaktor im Team.
Immer wieder brachten seine unkonzentrierten Pässe den Gegner in Ballbesitz. Wie ein Fremdkörper irrte er zwischen Daniel, Thilo und Cem umher. Stärkere Gegenspieler hätten seine Fehler gnadenlos ausgenutzt.
Zum Glück bescherte das Los den *Baskethunters* in der ersten Runde nur zwei mittelmäßige Mannschaften.

Glanzlos zogen die Mega-Event-Sieger von Hamburg in die zweite Runde ein.

Daniel und Shaq hatten sich geeinigt, Thilo und Cem gegenüber den Mund zu halten, was Shaqs Probleme anging. Noch mehr Unruhe konnte das Team nicht gebrauchen, fand Daniel.
Während der Pause zwischen der ersten und zweiten Runde nahm Thilo seinen Kapitän beiseite. „Das nennt man wohl mental nicht so gut drauf, oder was?“ fragte er und deutete auf Shaq.
Daniel nickte nur.
„Vielleicht sollte Cem durchspielen?“ schlug Thilo vor.
Daniel überlegte, was er tun sollte. Shaq gehörte zum Team. Und er war ihr Freund. Auf der anderen Seite wollten sie das Turnier gewinnen. Und dazu brauchte Daniel die drei absolut Besten auf dem Court.
„Ich denk drüber nach“, versprach er.
„Mir tut er auch leid“, fuhr Thilo fort. „Aber er spielt heute schlimmer als meine Oma. Womit ich meiner armen Oma noch schwer unrecht tue!“
„Sag ihm das doch einfach so“, wiegelte Daniel ab.
„Mal sehen“, lenkte Thilo mißmutig ein. „Einen Versuch können wir ja noch machen.“

Sie ließen sich von der wogenden Menge ziellos über den Olympiaplatz treiben. Der Veranstalter des Turniers, eine große deutsche Sportartikelfirma, hatte ein riesiges

Spektakel aufgezogen. Fun und Action, lautete das Motto.

BMX-Freestyler zeigten ihre akrobatischen Kunststücke. Break- und Electric-Boogie-Tänzer verrenkten und verdrehten ihre Körper. Skateboarder flitzten an Daniel, Thilo, Cem und Shaq vorbei. Verschiedene Firmen waren mit Ständen präsent und boten Zeitschriften, CDs, Computerspiele und sogar Flugreisen feil.

„Geil, was?!“ Thilo war begeistert.

Daniel verzog das Gesicht. „Viel Kommerz“, wandte er ein.

„Na und?“ protestierte Thilo. „Sei doch froh! Anders ist so was doch gar nicht zu finanzieren!“

„Solange der Sport im Vordergrund steht . . .“, meinte auch Shaq.

„Hm“, machte Daniel. „Und da hinten wird schon die nächste Trend-Sportart geklont.“

Thilo, Cem und Shaq folgten seinem Blick. Auf einem abgeteilten Areal traktierten ein paar Kids eine Art Tennisball mit langen, gebogenen Schlägern.

„Streethockey, ich weiß“, nickte Thilo. „Das haben sie mit Fußball auch schon versucht. Das hieß Calcetto oder so. Eben Straßenfußball. War aber nicht hip“, erklärte er.

„Ich würd eher sagen, es brachte denen keine Kohle ein“, folgerte Daniel. „Wenn Streetball sich nicht mehr lohnt, lassen sie die Turniere genauso leise sterben.“

„Streetball stirbt nie!“ ereiferte sich Thilo. „Dann organisieren wir die Turniere eben selbst!“

„Ohne Break-Dance und Hip-Hop-Musik?“ zog Daniel ihn auf.
Jetzt wurde Thilo sauer. „Von mir aus kann dann ja deine Cirstin tanzen!“ gab er patzig zurück.
Daniel zuckte zusammen.
Thilo freute sich, daß sein Pfeil ins Schwarze getroffen hatte. „Komm, krieg dich wieder ein“, sagte er versöhnlich. „Diese kleine Blonde find ich auch ganz niedlich. Heißt, glaub ich, Marthe. Wo treiben die Kätzchen sich eigentlich rum?“
„Keine Ahnung“, sagte Daniel und flüchtete zum nächsten Cola-Stand.

Das Glück klebte den *Baskethunters* weiterhin an den Stiefeln. Mehr routiniert als gekonnt schalteten sie Gegner um Gegner aus. Shaq überließ Cem freiwillig mehr und mehr das Feld und wechselte sich nur sporadisch ein. Daniel und Thilo spielten ohne Pause durch. Beinahe wäre ihnen im achten Spiel die Luft weggeblieben.
Ein Team aus jungen US-Amerikanern, die mit ihren Familien auf einer Air-Base in Deutschland lebten, verlangte den *Baskethunters* alles ab.
Lange Zeit gelang es keinem der beiden Teams, sich mehr als zwei Punkte Vorsprung herauszuspielen.
Dann mobilisierte Daniel seine letzten Reserven.
Die *Baskethunters* standen im Finale!

Anders als in Hamburg strichen Daniel, Thilo, Cem und

Shaq jegliches Abendprogramm. Todmüde fuhren sie nach Hause und versuchten zu schlafen. Keinem wollte es so recht gelingen.
Um Mitternacht stand Daniel auf, ging zu seinem Wandkalender und riß das Blatt mit dem Datum des vergangenen Tages ab. Eine *20* kam zum Vorschein.
Lange betrachtete er die Zahl, die schon seit Monaten mit einem dicken, roten Kreuz markiert war.
Der Tag des Deutschland-Finales!
Was würde er bringen?

18

Der Berliner Olympiaplatz war bevölkert wie bei einem Open-Air-Konzert. Eine unübersehbare Menschenmenge hatte sich um das kleine Viereck mit dem rostroten Gummibelag versammelt, auf dem die Endspiele der verschiedenen Altersklassen ausgetragen wurden.

Ausgelassen jubelten die Zuschauer den 11- bis 13jährigen Finalteilnehmern zu.

Daniel, Thilo, Cem und Shaq spielten sich auf einem verwaisten Court ein.

Thilo war gleich doppelt hibbelig. Am Vorabend hatte er im Briefkasten die Bestätigung für seinen USA-Trip vorgefunden.

„Stellt euch vor, direkt nach den Sommerferien geht's schon los", berichtete er aufgewühlt. „NBA – ich komme!"

„Vergiß bloß dein *Chicago Bulls*-T-Shirt nicht", ermahnte ihn Daniel. Ein spöttisches Lächeln zuckte um seine Mundwinkel.

Auch Cem gab seinen Senf dazu: „Nimm lieber einen englischen Grammatik-Duden mit. Ich denk, du sollst auf der High School was lernen und nicht den ganzen Tag Basketball spielen."

„Irre komisch", nölte Thilo. „Wenn ich gar nichts Besseres zu tun hab, lach ich vielleicht mal drüber."

Mit lockeren Sprüchen bekämpften sie ihre Nervosität.

Plötzlich dröhnte die Fanfare über den Platz.

Die *Baskethunters* marschierten los.

Ohne Hast bahnten sich Daniel, Thilo, Cem und Shaq ihren Weg durch die wartende Menge. Sie stellten ihre

Sporttaschen an der Seitenlinie ab und betraten den Court.

Thilo überprüfte noch einmal die Batterien seines Ghetto-Blasters und eilte dann zu seinen Kameraden.

Daniel schickte einen schnellen Blick über die Zuschauer. Direkt am Court standen Cirstin und die übrigen Spielerinnen der *Bronx-Katzen*.

Daniel lächelte Cirstin zu, während Thilo versuchte, Marthes Aufmerksamkeit auf sich zu ziehen.

Es gelang ihm sogar. Das blonde Mädchen winkte ihm zu.

Die zweite Final-Mannschaft kam auf das Spielfeld.

Dun-Kings prangte es in Großbuchstaben von ihren Trikots – offenbar eine Verballhornung von Dunking.

„Ziemlich einfallsreich“, murmelte Daniel vor sich hin und musterte seine Gegner. Die Typen kenn ich doch! dachte er. In der gleichen Sekunde schien sich eine glühende Stichflamme durch seinen Körper zu fressen. „Steffen!“ preßte er zwischen den Zähnen hervor.

Die *Dun-Kings* waren niemand anderes als Goldmanns A-Jugendmannschaft! Wie erstarrt stand Daniel da.

Auch Steffen schien ihn erkannt zu haben. Jedenfalls machte er eine Handbewegung zu ihm hin und tuschelte mit seinen Kameraden, die daraufhin ebenfalls zu Daniel rübersahen.

„Is was?“ fragte Thilo, dem die Veränderung seines Kapitäns nicht entgangen war.

Daniel schüttelte den Kopf. „Es gibt einen Gott“, sagte er ruhig. „Und der liebt mich!“

Thilos Gesicht verwandelte sich in ein einziges Fragezeichen. „Gesundheitlich ist aber alles in Ordnung?" meinte er besorgt.
Daniel lachte wie über einen Witz, den nur er verstand.
Er ging zum Anwurf.
Auch Steffen setzte sich in Bewegung.
Dann standen sie sich gegenüber.
Steffens Blick bohrte sich in Daniels Augen. „Ich mach dich fertig!" zischte er.
Die Nummer kannte Daniel schon. „Versuch's doch!" knurrte er zurück.
In seinen Pupillen flackerte etwas auf, was Steffen sichtlich zu irritieren schien. Er wich fast unmerklich zurück.
„Heute bist du fällig!" versprach ihm Daniel.
Die *Dun-Kings* begannen wie die Berserker. Steffen überrannte Shaq wie einen Anfänger, stoppte an der Freiwurflinie und zog ab.
Der Ball wischte durchs Netz.
Steffen ballte die Faust und stieß ein triumphierendes Brüllen aus. „So wird das aber nichts!" rief er Daniel zu.
Daniel würdigte ihn keines Blickes. „Reiß dich zusammen!" forderte er Shaq auf.
Shaq machte ein Gesicht wie der Hintern eines alten Gorillas.
Die *Baskethunters* hatten Ballbesitz. Thilo beförderte den Ball ins Spielfeld zurück. Er paßte zu Daniel, der die Kugel sofort an Shaq abgab. Der Kapitän der *Baskethunters* sprintete unter den Korb und lauerte auf Shaqs Zuspiel.

Aber der Ball schien an Shaqs Händen festzukleben. Viel zu lange überlegte er, was er mit der Pille anstellen sollte. Mit dem angestrengten Stirnrunzeln eines Schuljungen, der versucht, eine unmögliche Gleichung zu lösen, spielte er schließlich Thilo an.

Der Paß landete bei Steffen. Und der hatte wenig Mühe, den nächsten Punkt für die *Dun-Kings* zu machen.

„Sorry, Jungs", rief Shaq zerknirscht. „Ich bring's heute nicht!"

Er lief zur Seitenlinie und wischte mit der ausgestreckten Hand an Cems Fingerspitzen vorbei, der für ihn auflief.

Wie ein echter Kapitän versuchte Daniel, sein ins Schlingern geratenes Team wieder aufzurichten. Er war ständig in Bewegung, fegte wie ein Kreisel über den Court und versuchte, Lücken in die Defense der *Dun-Kings* zu reißen.

Aber die durchtrainierten, hochaufgeschossenen A-Jugendspieler standen felsenfest.

„Die sind verdammt gut!" keuchte Thilo.

Es klang fast schon ein wenig resigniert.

Cem spielte übervorsichtig und verlor dadurch viel von seiner Effektivität.

Bald kam Daniel sich vor wie bei dem Rennen zwischen Hase und Igel. Wo immer er hinlief, ein Spieler der *Dun-Kings* war schon da. Die Erkenntnis, daß die *Baskethunters* einen rabenschwarzen Tag erwischt hatten, legte sich wie eine Faust um sein Herz, die unbarmherzig zudrückte.

Das Glück, das sie am Vortrag bis ins Finale getragen hatte, schien sich über Nacht davongemacht zu haben.
Cem stand mit dem Rücken zu seinem Gegenspieler und forderte von Daniel den Ball.
Der Point Guard der *Baskethunters* spielte ihm die Kugel zielgenau in die Arme. Cem versuchte eine Körpertäuschung und drehte sich um die eigene Achse zum Korb. Im gleichen Moment schrie er auf, geriet ins Taumeln und stürzte zu Boden.
Mit schmerzverzerrtem Gesicht griff er an seinen Fußknöchel. „Bullshit!" schrie er. „Umgeknickt!"
Daniel, Thilo und Shaq liefen zu ihm.
Die *Dun-Kings* taten so, als ginge sie das alles nichts an, und trabten zur Seitenlinie, um sich aus ihren Wasserflaschen zu bedienen.
Cem versuchte aufzustehen, knickte aber sofort wieder ein. Daniel und Thilo mußten ihn stützen.
Unter wüstem Fluchen humpelte er vom Feld.
„Scheiße! Was machen wir jetzt?" brüllte Thilo verzweifelt.
Daniel wußte, daß er handeln mußte. Plötzlich wurde er ganz ruhig. Das Geschehen um ihn herum schien den Atem anzuhalten.
Er bemerkte zwar, daß Thilo, Shaq und Cem wild gestikulierten und auf ihn einredeten. Aber es war, als würde er durch eine Glasscheibe hindurch ein paar Fische beobachten. Er sah, wie sich die Münder seiner Kameraden öffneten und schlossen, aber ihre Worte drangen nicht bis zu ihm durch. Die Geräuschkulisse um ihn herum

schien einzufrieren wie bei einem Walkman, dessen Batterien zur Neige gehen. Die Umstehenden verschwammen zu formlosen Flecken.
Wie durch einen schmalen Tunnel blickte Daniel auf die Zuschauer. Und am Ende des Tunnels leuchtete nur ein Gesicht auf.
Das Gesicht eines schwarzhaarigen Mädchens.
„Cirstin spielt!“ sagte Daniel.
Seine drei Team-Kameraden verstummten und starrten ihn an.
Blitzartig sprang Daniels geistiges Laufwerk wieder auf normale Geschwindigkeit um. „Cirstin spielt!“ wiederholte er in einem Ton, der jeden Widerspruch von vorneherein ausschloß.

Ohne einen Kommentar von Thilo, Cem oder Shaq abzuwarten, ging er quer über den Court zu Cirstin.
Überrascht sah sie ihm entgegen.
„Hast du Sportklamotten dabei?“ fragte er sie.
„Nur das, was ich anhabe“, entgegnete sie. „Weshalb?“
Daniel blickte an ihr herunter. Cirstin trug Turnschuhe, Shorts und ein T-Shirt. Phantastisch! jubelte er innerlich. Und laut sagte er: „Wir brauchen dich!“
Unsicher drehte sich Cirstin zu Marthe, Chris und Daniela um.
„Na los! Zeig's ihnen!“ feuerte Marthe sie an. Die beiden anderen *Bronx-Katzen* nickten.
„Geht denn das?“ fragte Cirstin. „Ihr seid doch nicht als Mixed-Team gemeldet.“

„Das wird sich gleich herausstellen", antwortete Daniel, packte sie bei der Hand und zog sie auf den Court.
„Das ist unsere neue Spielerin", stellte er Cirstin dem Court-Monitor vor.
Der wußte nicht recht, was er tun sollte, und hielt vorsichtshalber Rücksprache mit den Verantwortlichen.
„Ungewöhnliche Situation!" meinte einer der Organisatoren scharfsinnig. „Hatten wir noch nie."
Es entstand ein längeres Hin und Her.
„Werdet ihr dadurch nicht schwächer?" fragte einer der Herren ehrlich besorgt.
„Glaub ich kaum", versicherte Daniel.
Schließlich zeigte man sich „flexibel".
Nur die *Dun-Kings* mußten noch einwilligen.
„Ein Mädchen?" lachte Steffen. „Wohl das letzte Aufgebot, was?" Er machte eine affektierte Verbeugung vor Cirstin. „Aber bitte, von uns aus gern!"
Thilo fügte sich ergeben in die Launen seines Kapitäns.
Shaq sagte gar nichts. Er setzte sich zu Cem an die Seitenlinie und schaute ausdruckslos zum Spielfeld.
„Hast du nicht was vergessen?" mahnte Daniel Thilo, als sie den Court betraten.
Thilo hatte keine Ahnung, worauf sein Team-Leader hinauswollte.
„Na los", befahl Daniel, „wirf endlich die Tröte an!"
Das Licht, das Thilo in diesem Moment aufging, konnte man geradezu über seinem Kopf schweben sehen.

„Yeah!“ machte er, eilte zu seinem Recorder und warf die Höllenmaschine an.
Harte Gitarrenriffs dröhnten über den Olympiaplatz.
„Balls to the wall!“ rief er Cirstin zu.
„Ich bemüh mich!“ lachte sie.
Der Court-Monitor gab das Spiel wieder frei.
Die *Dun-Kings* wollten jetzt offenbar kurzen Prozeß mit ihren Gegner machen. Steffen schnappte sich den Ball, zog ohne Umweg zum Korb und stieg hoch.
Er flog auf das Brett zu, wechselte die Kugel sogar noch locker von der linken in die rechte Hand und wollte sie schon in den Ring versenken.
Aber wie ein Schatten war Cirstin mit hochgestiegen und beendete Steffens Aktion so nachhaltig wie eine Glasscheibe den Flug einer Schwalbe.
In der Luft stellte sie den Kapitän der *Dun-Kings*.
Ohne sichtliche Anstrengung brachte Cirstin ihre Hand zwischen den Ball und den Ring und nagelte die Pille wie mit einem Vorschlaghammer ans Brett.
Noch ehe Steffen begriff, was eigentlich vor sich ging, hatte sich Thilo den Rebound gepflückt. Er drehte sich unter dem Korb und paßte durch die Zone zu Daniel. Wie von Geisterhand geführt, zischte der Ball durchs Netz.
Die Zuschauer brüllten vor Begeisterung.
Daniel und Thilo liefen zu Cirstin und klatschten die Handflächen aufeinander.

„Wahnsinn!" gratulierte ihr Thilo. „Kannst du das noch mal machen? Das ging leicht zu schnell für mich!"
„Jederzeit!" behauptete Cirstin und nahm wieder ihre Position ein.
Die Leaderin der *Bronx-Katzen* klebte an Steffen wie eine zweite Haut. Sie wollte mit allen Mitteln verhindern, daß Daniel sich um den Kapitän der *Dun-Kings* kümmern mußte. Im direkten Duell hätte sich der Wirkungsgrad der beiden Spielmacher höchstwahrscheinlich neutralisiert. Sinnvoller war es, für Daniel Freiräume zu schaffen, in denen er sein Können voll ausspielen würde.
Daniel warf alle Taktik in den Mülleimer und agierte auf einmal wie im Rausch. Machtvoll durchbrach er den Block seines Gegenspielers, fegte dessen ausgestreckte Arme wie Grashalme zur Seite und drosch den Ball direkt in den Korb.
No, you can't stop them! brüllte der *Accept*-Sänger aus dem Recorder.
Ein Stromstoß schien durch Daniels Körper zu jagen.
„Keep it! Keep it!" riefen ein paar der Umstehenden den *Dun-Kings* zu. Offenbar hatte die Mannschaft die gesamte Jugendabteilung als Jubel-Kulisse mitgebracht.
Doch Streetball folgte nicht den Regeln von Liga-Spielen. Den Vorsprung zu halten, damit war es nicht getan. Die *Dun-Kings* mußten weiter nachlegen, um auf die erforderlichen sechzehn Siegpunkte zu kommen. Aber ihr Faden war gerissen.
Jetzt waren die *Baskethunters* am Zug!
Mit leichtfüßiger Schnelligkeit rettete sich Thilo ein ums

andere Mal vor der Defense der *Dun-Kings*. Er reboundete und punktete – und hatte noch Luft und Zeit genug, demoralisierend auf seine Gegner einzureden.
„Wir sind das Dream-Team, ihr bloß die Traumtänzer. Wußtet ihr das schon?" rief er Steffen zu.
„Halt's Maul!" zischte der.
„Hey, Mann", legte Thilo nach, „das einzig Profilierte an dir sind doch deine Schuhsohlen!"
Steffen verlor zusehends die Fassung. Offenbar war er es nicht gewohnt, so kompromißlos geblockt zu werden wie von Cirstin.
Die Streetballerin fegte Steffens Schüsse so vehement aus der Gefahrenzone, daß die Bälle oft weit in die Zuschauer hineinsegelten. Und mit jedem geblockten Wurf zermürbte sie Steffen mehr.

Als die *Baskethunters* wieder in Ballbesitz waren, wechselte Steffen in die Verteidigung.
Daniel dribbelte auf den Korb zu.
Drohend baute sich Steffen vor ihm auf.
Beide stiegen gleichzeitig hoch. Der *Baskethunter* stieg und stieg, viel höher als sein Gegner, und ließ den Ball über seine ausgestreckten Finger in den Ring rollen. Er drehte Steffen den Rücken zu und bereitete sich auf den unvermeidlichen Zusammenstoß bei der Landung vor.
Noch bevor seine Füße wieder den Boden berührten, ahnte er, was der *Dun-King* vorhatte.
Da spürte er auch schon Steffens Hand auf Abwegen.
Mit einer wunderbar schnellen Bewegung packte er den

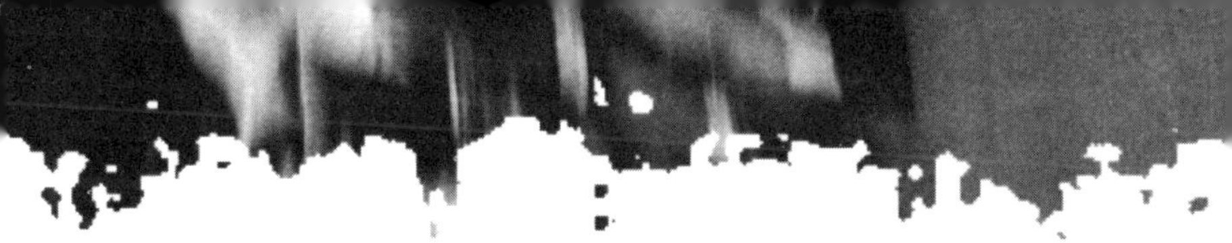

Arm seines Gegners und hielt ihn fest. „Versuch das besser kein zweites Mal!" drohte er Steffen, und seine Stimme klang dabei wie in Schmirgelpapier eingewickelt.
Wütend riß Steffen sich los.
Dann schlug Daniel zurück. Sportlich und ohne weitere Worte. Fast nach Belieben schob er jetzt den Kapitän der *Dun-Kings* weg und punktete.
Steffen war am Ende.
Doch er schien sich mit aller Gewalt zum Gespött der Zuschauer machen zu wollen. Zum ungezählten Mal rannte der Basketballer gegen einen Block von Cirstin. Sofort brüllte er „Foul!" und riß den Arm hoch.
Weder der Court-Monitor noch seine Mitspieler nahmen Notiz von ihm.
„Es war Foul!" beharrte Steffen.
Das Spiel lief weiter.
Der *Dun-King* drehte vollends durch: „Entweder ich bekomm einen Freiwurf, oder ich hör auf!"
Eisiges Schweigen entstand.
Steffen starrte düster zu seinen Team-Kameraden.
„Dann hau doch ab!" schrie ihn plötzlich sein eigener Mitspieler an. Das Maß war voll.
Steffen drückte die Schultern nach vorne und stolzierte vom Platz.
„Lieber Kohl reden, als Kohl reden hören, was?" rief Thilo ihm nach.
Die Zuschauer brachen in Gelächter aus.
Steffen riß seine Sporttasche vom Boden hoch und strebte

dem Ausgang zu, ohne sich noch einmal umzudrehen.
„Pech für ihn, daß ich seine miesen Tricks schon kannte", sagte Daniel mehr zu sich selbst.
Thilo hörte es trotzdem. „Wieso denn das?"
„Erklär ich dir später", versprach Daniel.
Der Point Guard der *Baskethunters* wußte, daß das Match gelaufen war. Die letzten Aktionen spielten er, Thilo und Cirstin für die Galerie.
Die Zuschauer begannen rhythmisch zu klatschen, als wollten sie kraft ihrer Schallwellen den Ball in den Korb treiben.
Daniel nahm die Gummikugel aus dem Dribbling heraus auf, legte die klassische rechts-links-rechts Schrittfolge hin und führte die Pille mit einer kreisförmigen Bewegung nach oben.
Sein Gegenspieler versuchte, ihm den Ball aus der Hand zu schlagen.
Vergeblich.
Daniels Arm schien lang und länger zu werden. Wie ein Krake lupfte er die Kugel über die Köpfe der *Dun-Kings* hinweg und gab ihr mit den Fingerspitzen den letzten Touch.
Thilo und Cirstin schauten gebannt zum Korb.
Fast zärtlich legte Daniel den Ball ins Netz.
Ein begeisterter Schrei aus Hunderten von Kehlen ließ die Anlage erzittern.
„Jaaaa!" brüllte auch Thilo rannte wie ein Irrwisch über den Court.

Daniel sprang erneut hoch, diesmal allerdings vom Korb weg, und landete genau in Cirstins ausgestreckten Armen. Er preßte sie an sich und hob sie hoch.
Die *Baskethunters* hatten das German Final für sich entschieden!
So schnell ihn sein verletzter Fuß trug, humpelte Cem auf den Platz.
Shaq war schon an ihm vorbei, als er plötzlich stehenblieb, sich bei Cem einhakte und ihn mit sich zog.
Zuerst gratulierte er Cirstin: „Besser hätte ich es auch nicht gemacht!“ lobte er sie.
„Aber klar hättest du“, wehrte sie ab.
Daniel, Thilo und Cirstin nahmen ihre beiden Freunde in die Mitte und fingen an, im Takt des Applauses auf und ab zu hüpfen.
Unzählige Hände streckten sich den *Baskethunters* entgegen. Ohne hinzusehen, griffen die fünf einfach danach und schüttelten sie, bis ihnen die Arme weh taten.
Da hielt plötzlich jemand Daniels Hand fest. „Du hast meine Jungs ja ganz schön aufgemischt“, sagte eine bekannte Stimme.
Überrascht schaute Daniel auf.
Vor ihm stand Goldmann.
„Toll!“ gratulierte der Jugendleiter aufrichtig. Hinter ihm warteten die *Dun-Kings*. Auch sie nickten Daniel anerkennend zu.
„Ich finde, du solltest dir das mit der Bundesliga noch mal überlegen“, meinte Goldmann. Er machte eine Handbe-

wegung, die seine Spieler einschloß. „Ich kann dir versichern, daß du uns herzlich willkommen bist."
Der Streetballer blickte zu Cirstin, die direkt neben ihm stand und alles mitbekommen hatte. „Eigentlich will ich hier noch gar nicht so bald weg", sagte er.
Cirstin lächelte.
„Einen Profi-Vertrag kannst du sowieso erst in zwei Jahren unterschreiben, wenn du volljährig bist. Bis dahin . . .", Goldmann machte einen kurze Pause und versuchte, die übrigen Menschen, die zu den Turniersiegern drängten, zur Seite zu schieben, „bis dahin solltest du aber wenigstens in den Schulferien an unseren Camps teilnehmen."
Der Jugendleiter kannte Daniel mittlerweile gut genug, um zu wissen, daß er einen Satz auf keinen Fall vergessen durfte: „Wenn du willst, natürlich nur!" sagte er mit Nachdruck.

„Mal sehen", sagte Daniel vage, obwohl er innerlich triumphierte. Er wußte, diesmal würde er seine Chance nutzen.
„Du kannst natürlich auch sofort zu uns kommen", schlug Goldmann vor. „Jemand vom Schulamt sitzt bei uns im Vorstand. Das wäre kein Problem."
Demonstrativ legte Daniel seinen Arm um Cirstins Schulter. „Auf keinen Fall!" entschied er.

Ausgelassen zogen die *Baskethunters* mit den Spielerinnen der *Bronx-Katzen* über den Olympiaplatz.
Vor allem Thilo und Marthe verstanden sich offenbar blendend.

„So ein Mist!“ fluchte Thilo, als er für einen Moment mit Daniel allein war, während die anderen an einer Getränkebude anstanden.
„Was ist denn?“ wunderte sich Daniel. „Es läuft doch.“
„Ja, toll!“ ärgerte sich sein Team-Kamerad. „Und ich muß jetzt ein Jahr nach Amerika!“
„Gestern hat sich das aber noch ganz anders angehört.“
„Was geht mich mein Geschwätz von gestern an?“ jammerte Thilo.
Der Reihe nach fanden sich Cirstin und Marthe, Chris und Daniela, Cem und Shaq wieder ein.
„Na ja, es gibt ja Telefon“, tröstete sich Thilo und widmete sich wieder der blonden *Bronx-Katze*.
„Ja“, sagte Daniel. „Auch wenn das Ding bei dir aussieht wie was zum Essen.“
Ein lokaler Radiosender hatte eine Bühne auf dem Gelände aufgebaut und bat zum Karaoke.
„Da machen wir mit!“ entschied Thilo begeistert.
Die *Baskethunters* und die *Bronx-Katzen* kletterten auf die Bühne.
Zuerst verlangte Thilo nach der Streetball-Hymne von der Gruppe *2 Faces.* Danach ließ der Moderator die Instrumental-Begleitung der Hip-Version des alten *Smokie*-Hits *Living next door to Alice* aus den Boxen dröhnen.
Die Streetballer stellten sich in einer Reihe auf, hakten sich ein und brüllten ausgelassen den neuen Refrain ins Mikrophon.
„Alice! Who the fuck is Alice!“ hallte es aus acht Kehlen über

die Anlage. Es war der schönste Augenblick des Turniers.
Dann ging Cirstin zu dem Disc-Jockey und sagte etwas zu ihm.
Der Mann nickte.
Cirstin schnappte sich das Mikrophon und stellte sich damit neben Daniel.
Zarte Gitarrenklänge hoben an.
„Wish you were here, me oh my countryman, wish you were here“, hauchte sie dazu in die Anlage.
Sie stieß Daniel in die Seite. „Na los, mach mit!“ forderte sie ihn auf.
Daniel hob verlegen die Arme. „Da mußt du schon 'nen Kanarienvogel engagieren“, meinte er. „Ich kann nicht singen.“
„Quatsch! Jeder kann singen“, widersprach Cirstin. „Los!“
„From the first time, I laid my eyes on you, I felt joy of living, I saw heaven in your eyes“, sang Cirstin die Ballade der *Rednex* weiter.
Daniel gab sein Bestes und brummte leidlich mit.
Die Musik webte einen weichen Klangteppich.
Mit einem Mal fühlte sich Daniel wie auf einer Wolke. Alle Spannung, alle Aufregungen der letzten Wochen fielen von ihm ab. Er drückte sich ganz nahe an Cirstin.
„Wish you were here“, sang sie. *„A battlefield of love and fear.“*
Weiter kam sie nicht mehr.
Daniel verschloß ihren Mund mit einem langen Kuß.
Ihre Team-Kameraden klatschten wie wild Beifall.

17

Zwei Monate später. Thilo packte seine Koffer für Amerika. Sorgfältig verstaute er ein gerahmtes Foto vom Finale des Streetball-Challenge, das die *Baskethunters* bei der Siegerehrung zeigte.
Ein stolzes Lächeln spielte um seine Lippen, als er die Gesichter musterte.
Cem, der über seinen eigenen Schatten gesprungen war und freiwillig gegen eine Skin-Mannschaft verloren hatte, weil er damit dem Team half.
Shaq, der im Finale seinen Platz geräumt hatte, um den Sieg der *Baskethunters* nicht zu gefährden.
„Noch mal Glück gehabt, Alter", murmelte Thilo.
Shaq hatte gnädige Richter gefunden. Die Jugendkammer kommandierte ihn zur Strafe zu einem vom Berliner Sozialamt finanzierten Basketballprojekt namens *Trialog* ab, das helfen sollte, die Jugendlichen von den Straßen der berüchtigten Plattenbau-Siedlungen wegzuholen. Unter einem verrosteten Korb in Hohenschönhausen übte er jetzt dreimal in der Woche mit den Kids Freiwürfe und Dunks.
Cirstin, die ohne zu zögern beim Finale für sie in den Ring

gestiegen war und vielleicht das beste Spiel ihres Lebens geliefert hatte.
Und natürlich Daniel, der vielleicht bald in der Bundesliga spielen würde.
Daniel.
Thilos Lächeln wurde noch breiter. Er dachte daran, was der Leader der *Baskethunters* auf dem Olympiaplatz über die Vermarktung von Thilos Lebensgefühl gesagt hatte: „Die nächste Trend-Sportart wird doch schon vorbereitet!"
Wahrscheinlich hatte er recht. Kein Streetballer in den Ghettos der amerikanischen Großstädte konnte sich Schuhe und Klamotten leisten, die Hunderte von Mark kosteten.

Eine Stunde später schlug Thilo seinen Koffer zu und schleppte ihn zur Tür.
Das teure *Chicago Bulls*-Trikot blieb im Schrank hängen.

BEGRIFFSERKLÄRUNGEN

[1] Pille: Basketball
[2] Point Guard: der Spielmacher einer Mannschaft
[3] Sparring-Parnter: Trainingspartner
[4] Slap: Streetball-Platz
[5] Chump: Anfänger, schlechter Spieler
[6] One-on-One: Spiel Mann gegen Mann; Two-on-Two: zwei gegen zwei
[7] NBA: National Basketball Association: die US-Basketball-Profi-Liga
[8] Rebound: ein vom Korb zurückprallender Ball
[9] No-Look: Paß, ohne hinzusehen
[10] Robber: Angeber
[11] Shooting:„Schießen" des Balls
[12] Bogart: Korbleger
[13] Bank-Shot: Korbwurf über das Brett
[14] Moves: Spielzüge, Tricks
[15] Metropolitan-Turnier: einzelnes Turnier im Rahmen des Streetball-Challenge
[16] Streetball-Challenge: bundesweites Streetball-Turnier, das von Adidas veranstaltet wird
[17] Korac-Cup: europäischer Basketball-Pokalwettbewerb, vergleichbar etwa mit dem UEFA-Cup im Fußball
[18] Dunking oder Dunk: Korbleger, bei dem der Ball ohne Brettberührung gleichsam von oben in den Korb gestopft wird
[19] Boombox: Sporttasche
[20] Center: Spieler, der direkt unter dem Korb seine Position bezieht; oft zugleich der Längste im Team
[21] Fakes: Tricks, Täuschungsmanöver

22 Hoop: Wurf, Aktion oder auch das Spiel allgemein

23 Full-Court-Match: Spiel auf zwei Körbe, also über das gesamte Feld, und nicht wie beim Streetball sonst üblich nur auf einen Korb

24 Defense: Abwehr, Verteidigung

25 Jump-Shot: Sprung-Schuß

26 Court-Monitor: offizieller Spielbeobachter bei Turnieren

27 Killer-Crossover: Dribbling, bei dem der Ball sehr schnell zwischen beiden Händen hin und her wandert

28 Forward: Flügelspieler

29 Hoop it up: Streetball-Allerweltsfloskel, soviel wie „Auf geht's!"

30 Offense-Spieler: Angriffs-, Sturmspieler

31 Cut: Lauf, manchmal auch zielgenauer Paß

32 Gunner: sehr guter Korbschütze

33 Check: Wechsel des Ballbesitzes nach einem Korb

34 Drop-Step-Move: Finte, bei der mit einer Fußbewegung ein Durchbruch angetäuscht wird

35 Layer: Korbleger

36 Hook-Shoot: „Hackenwurf"; einhändiger Wurf, bei dem der Ball an der dem Korb abgewandten Seite des Körpers nach oben geführt wird

37 Jap-Step: Finte, bei der ein Durchbruch nach links angetäuscht wird

38 Reverse-Lay-Up: Korbleger, bei dem der Ball sozusagen rückwärts, über den Kopf, geworfen wird, wenn der Spieler eigentlich schon am Korb vorbei ist

39 Punch: Stoß mit dem Ball in den Magen oder auf die Nase